LE CHEVAL

UNE PASSION

ANDREW MORRIS & BOB LANGRISH

LE CHEVAL
UNE PASSION

ANDREW MORRIS & BOB LANGRISH

Les Éditions
Coup d'œil

Copyright © 2007 par Regency House
Publishing Ltd
Ce livre est produit par
Quantum Publishing Ltd
6 Blundell Street
London N7 9BH

© 2008 Les Éditions Coup d'œil
Pour la présente édition

Coordination du projet : Esther Tremblay
Page couverture : Katia Senay

Dépôts légaux, 3ᵉ trimestre 2008
Bibliothèque nationale et archives du Québec
Bibliothèque nationale du Canada

Imprimé à Singapour
par Star Standard Industries.

ISBN : 978-2-89638-326-9

SOMMAIRE

INTRODUCTION 6

INTRODUCTION

Soixante millions d'années se sont écoulées entre Eohippus, *le cheval de l'aube, et le cheval moderne que nous connaissons et aimons aujourd'hui. Si les amoureux des chevaux savent tout ce que nous devons au genre* Equus caballus, *le cheval domestique, ce n'est pourtant pas une évidence pour tous. Adulé, parfois même mythifié, le cheval n'en demeure pas moins une créature concrète. Ayant établi une relation harmonieuse avec l'homme, il reste à jamais un animal qui a sa place dans la nature.*

Dans l'image d'Épinal, le cheval est le compagnon de voyage de l'homme toute sa vie durant, acceptant cette tâche avec grâce et générosité depuis des milliers d'années. Plus que tout autre animal, le cheval est étroitement lié à l'histoire des hommes, et son influence sur notre culture est profonde. Avant l'éclosion de l'ère industrielle, il fut indispensable à l'homme : partageant notre quotidien, il était à la fois une bête de somme et un moyen de transport. Jadis au champ de bataille avec les armées de conquérants, il est désormais l'incarnation de l'athlète, excellant dans le domaine sportif et en compétition.

C'est en Europe de l'Est et au Proche-Orient que des chevaux sauvages furent domestiqués pour la première fois il y a 5 000 ans environ. Vers 1000 av. J.-C., on en trouvait dans toute l'Europe, l'Asie et l'Afrique du Nord. Ces chevaux descendaient tous de quatre types primitifs : Equus ferus sylvaticus, *le cheval des forêts,* Equus ferus gmelini, *le tarpan,* Equus ferus przewalskii *(le cheval sauvage d'Asie), seule espèce primitive survivante et désormais protégée. Le cheval de la toundra constituait le quatrième type.*

On a également retrouvé des traces de chevaux préhistoriques indigènes en Amérique du Nord et en Amérique du Sud. La cause de leur disparition brutale n'a cependant pas encore été élucidée. Ce furent les conquistadors *espagnols qui réintroduisirent le cheval en Amérique, important leurs chevaux ibériques, dont les descendants poursuivirent leur propre évolution. Les premiers colons ayant besoin de chevaux robustes et résistants, l'évolution de leurs chevaux répondit à ces contraintes ; plus tard, on fit venir des lignées d'autres pays afin d'améliorer les races.*

Aujourd'hui, les méthodes d'élevage modernes permettent d'obtenir les plus beaux chevaux de compétition. Ils sont généralement issus de croisement avec des chevaux à sang froid, comme les shires, et des chevaux à sang chaud, comme les pur-sang anglais. Ces chevaux à sang chaud sont exclusivement destinés à la compétition, comme le saut d'obstacles, le concours complet et le dressage. Ils ne sont pas adaptés aux travaux des champs, et ne sont élevés que pour le plaisir des intervenants du monde équestre sportif. Parmi les races célèbres de chevaux de compétition, citons le hanovrien, le trakehner, l'american warmblood et le holstein.

Enfin, bien que non exhaustives, toutes les races décrites dans Cheval, une passion, *célèbrent la force et la beauté des chevaux sous toutes leurs formes.*

CHAPITRE I

CHEVAUX D'AMÉRIQUE

AMERICAN SADDLEBRED

Le cheval de selle américain descend de chevaux qui furent ramenés d'Europe au XVIIe siècle, notamment de Grande-Bretagne et d'Irlande. Utilisés pour le trot et le pas, leur constitution robuste et leurs allures particulières furent appréciées dans leur nouvelle patrie.

Le narragansett pacer, dont la race fut créée à Rhode Island au XVIIe siècle, est considéré comme l'un des ancêtres de ces chevaux européens. Il servit en tout cas de modèle de référence à tous les chevaux d'allures actuelles en Amérique.

Aujourd'hui disparu, le narragansett pacer était réputé docile, facile à monter et confortable sous la selle pour les longs périples que les pionniers devaient jadis effectuer. En accouplant des juments narragansett avec des étalons pur-sang anglais, les progénitures qui en résultèrent bénéficièrent des allures et des performances de chaque race. Croisés à leur tour avec des morgans, des trotteurs américains et des pur-sang anglais, ces *american horses* donnèrent naissance à l'american saddlebred ou selle américain, que l'on connaît aujourd'hui.

En plus des allures naturelles communes à tous les chevaux, que sont le pas, le trot et le galop, l'american saddlebred possède des allures particulières.

Il s'agit de l'allure lente ou *stepping*

L'american saddlebred est capable de pratiquer, en plus du pas, du trot et du galop, des allures supplémentaires comme l'allure lente et le rack.

pace, et du *rack*, proche du pas amblé (les deux sabots d'un même côté se soulèvent presque simultanément). À certains moments, les quatre sabots sont tous en suspension, ce qui est spectaculaire chez un cheval possédant des allures élevées.

Parfois, la posture campée est artificiellement encouragée par des

Ô jeune cavale, au regard farouche,
Qui court dans les prés d'herbe grasse emplis,
L'écume de neige argente ta bouche.
La sueur ruisselle à tes flancs polis.

Leconte de L'Isle (1818-1894),

Poèmes antiques, 1852

systèmes de maintien contraignants, ou par des interventions chirurgicales (section des muscles sous la queue pour créer un port de queue artificiellement élevé). Ces pratiques barbares sont toutefois illégales dans la plupart des pays du monde. L'usage du bandage de queue persiste néanmoins. On le pose parfois sur des chevaux gardés à l'écurie afin de préserver le port de queue élevé; ceci se fait cependant aux dépens du confort du cheval lorsqu'il est au repos. Il serait préférable que cette pratique soit interdite dans le monde équestre.

L'american saddlebred possède une extraordinaire prestance et une expression de mouvement très subtile. La tête, petite et étroite, est portée haute, et son expression alerte et intelligente est accentuée par la finesse de ses oreilles dressées. Le regard est doux, mais intelligent, le nez est droit avec des naseaux légèrement ouverts. L'encolure, longue et élégante, est également portée haute. Le garrot haut, plongeant avec élégance vers le dos, est assez long, tout comme le corps. Les épaules, plus étroites en haut qu'en bas, sont tombantes, créant une action fluide qui est sa marque de fabrique. Le port de queue est naturellement haut, la croupe forte et souple.

L'american saddlebred est docile et facile à entraîner. Gentil et affectueux, il aime le contact et adore être manipulé. En même temps, il est fougueux, doté d'une intelligence vive et d'un comportement alerte. Il est facilement nerveux sous la selle.

Toutes les couleurs solides de robes sont admises chez l'american saddlebred, y compris le palomino et le rouan. On note souvent la présence de marques blanches et de balzanes. La robe, la crinière et la queue ont une texture fine et soyeuse. Les chevaux toisent entre 1,52 m et 1,65 m.

Les american saddlebreds sont très prisés dans les courses attelées ou montées, dans lesquelles ils excellent. Ils sont également performants en dressage et en saut d'obstacles.

Récemment créés, les saddlebreds de couleur obtiennent un franc succès.

SHETLAND AMÉRICAIN

Comme son nom l'indique, les ancêtres du shetland américain étaient des poneys des îles Shetland, situées au nord de l'Écosse. En 1885, Eli Elliot fit venir 75 de ces poneys en Amérique. Ils furent élevés dans les États du sud-est, où ils se développèrent malgré des conditions climatiques difficiles, chaudes et humides. Ce succès entraîna la formation de l'*American Shetland Pony Club* en 1888.

Le shetland américain est aujourd'hui très différent de son ancêtre écossais : de stature plus légère, ses jambes sont aussi plus longues et plus fines. Ce résultat provient du croisement entre des shetlands et des petits pur-sang arabes, anglais et des hackneys, pour un animal qui est un petit cheval et non plus un poney.

Le shetland américain excelle dans diverses disciplines de compétition attelée (roadster à deux roues, buggy à quatre roues, sulky léger). Gentil avec les enfants, il peut

tout aussi bien participer aux concours de classes de poneys qu'à celles de poneys de sport anglais. L'américain shetland se monte avec une selle d'équitation classique ou une selle western.

Il possède tous les attributs physiques de ses petits ancêtres, associés à leur force et à leur caractère soigné. La tête est longue, plus proche de celle d'un cheval que d'un poney ; le chanfrein est droit, les oreilles sont moyennement longues, et les yeux ressemblent à ceux d'un cheval. Il a conservé

de nombreuses caractéristiques du shetland, la crinière et le port de queue élevé étant associés à une fourrure épaisse. L'encolure est assez courte, les jambes puissantes sont bien que proportionnellement très longues. Les sabots ont la même force et la même forme que ceux du shetland.

Ayant en apparence de nombreux attributs du cheval, le shetland américain est idéal pour les enfants par sa petite taille (autour de 1,18 mètre) et son humeur stable. Relativement robuste, il est facile à entretenir.

Toutes les couleurs solides habituelles sont admises, y compris le rouan, l'isabelle et le crème.

Élevés pour tirer des wagons de minerai ou de charbon dans les mines au milieu du XIXᵉ siècle, les shetlands américains ont gardé leur habileté à tracter. Si un shetland bien entraîné excelle en attelage, sa hauteur maximale de 1,18 m fait de lui une monture idéale pour un enfant.

AMERICAN WARMBLOOD

L'*American Warmblood Registry* fut créé pour promouvoir l'élevage des chevaux de sport américains. L'organisation est avant tout chargée d'améliorer les standards de la race en Amérique du Nord. Cela passe par une tenue attentive des registres, des *stud-books* ainsi que par l'approbation annuelle des élevages. L'organisation a également pour but de fournir à ses membres et aux éleveurs des outils pédagogiques et marketing, afin de promouvoir l'élevage dans le respect des meilleurs standards.

L'american warmblood est puissant et équilibré, possède une bonne ossature, rendant ses allures rythmiques et élastiques. La race peut être croisée avec une grande variété de lignées, pourvu que les qualités du cheval soient préservées. D'un caractère équilibré, l'american warmblood est utilisé dans tous les sports traditionnels, comme le dressage, le saut d'obstacles et le concours complet.

L'american warmblood doit avoir une bonne conformation, c'est-à-dire être bien proportionné et avoir une bonne tonicité musculaire. Il doit être d'un tempérament exemplaire : le cheval doit être bien élevé et réceptif, sage et attentif, capable d'anticiper ses actions.

Toutes les couleurs de robe sont admises. La taille moyenne de l'american warmblood se situe autour de 1,65 mètre.

Nous avons presque oublié combien il est étonnant qu'un animal aussi grand, aussi puissant et aussi intelligent puisse accepter sur son dos un autre animal tellement plus faible !

Peter Gray

L'american warmblood fut élevé pour répondre à une demande : créer un cheval de sport de haute qualité.

APPALOOSA

Le gène responsable des taches sur la robe des chevaux est ancien, comme peuvent en attester les peintures rupestres datant de Cro-Magnon. Il y a plusieurs siècles, les chevaux tachetés étaient très recherchés en Europe et en Asie, et furent souvent représentés dans l'art chinois.

Les *conquistadores* espagnols emmenèrent leurs propres chevaux tachetés au cours de leur voyage, introduisant ainsi le gène tacheté à leur arrivée sur le continent américain. La tribu indienne des Nez Percés, qui vivait au nord-est de l'Oregon, le long de la rivière Palouse, finit par acquérir certains de ces chevaux. Les Nez Percés, qui furent probablement les premiers à faire de l'élevage sélectif, observèrent des règles strictes pour obtenir les meilleurs résultats. Ce mélange entre les stocks européens et indigènes allait donner naissance à ce qui est sans doute la plus ancienne race de chevaux d'Amérique : l'appaloosa.

Après l'extermination des Nez Percés par les colons, les chevaux appaloosa furent dispersés à travers tout le pays, et la souche fut affaiblie par des croisements aléatoires.

L'appaloosa connaît aujourd'hui un regain de popularité. Il n'est pas toujours tacheté, mais certaines caractéristiques sont obligatoires : une sclérotique blanche autour de l'iris, des sabots striés et une peau marbrée.

L'appaloosa est considéré comme l'archétype du cheval américain. Issu de croisement entre des lignées européennes et américaines, c'est un cheval très polyvalent.

américains, croisés avec des quarter horses, sont de même taille et de même conformation. En Europe, les appaloosas sont plus grands, se rapprochant du warmblood en ce qui concerne la taille, et sont donc parfaits pour le saut et le dressage. Ce type commence d'ailleurs à devenir populaire aux États-Unis.

L'appaloosa est un cheval assez standard, avec une tête bien faite et de courtes oreilles dressées. Son regard est vif et curieux, ses yeux sont cernés d'une sclérotique blanche autour de l'iris. L'encolure et le corps sont compacts et bien musclés, les membres sont puissants et bien développés. Les crins de la queue et de la crinière sont généralement épars. Les sabots doivent être striés.

Les appaloosas sont des chevaux complets : débonnaires et robustes, ils sont en outre rapides, résistants et agiles.

L'*Appaloosa Horse Club* admet six patrons de robe : le capé ou *blanket*, est une couverture blanche qui recouvre uniformément le haut des membres postérieurs et les reins, contrastant avec la couleur de base. Le tacheté (*blanket with spots*) est composé de taches, blanches ou foncées, couvrant une partie du corps. Le capé taché (*blanket with spots*), avec une couverture blanche et des taches foncées, est en principe de la même couleur que la couleur de base. Le rouan (*roan*) est défini par une zone plus claire sur la tête, le dos, les reins et les membres. Le capé rouan avec taches (*roan blanket with spots*) correspond à une couverture rouanne parsemée de taches blanches et/ou foncées sur la partie rouane. La couleur *solid*, c'est-à-dire uniforme, ne présente pas de patron appaloosa.

Les appaloosas toisent généralement entre 1,47 m et 1,57 m.

Extrêmement polyvalent, l'appaloosa est parfait en équitation western. On le retrouve souvent dans les compétitions de rodéo professionnel (capture au lasso en individuel ou en équipe, *barrel race*) ou encore de cross-country et saut d'obstacles.

Il existe des différences très nettes entre les appaloosas américains et européens. Les sujets

AZTECA

Le cheval aztèque ou azteca, qui a remplacé le criollo mexicain, race virtuellement éteinte, est une race récente. Les premiers travaux sur la race ont commencé en 1972, par le croisement de trois lignées différentes : le cheval ibérique (andalou ou lusitanien), le quarter horse et le criollo. Le recours à ces trois races permit de doter l'azteca d'une finesse de conformation, associée à la robustesse et à l'incroyable résistance du criollo. On put ainsi préserver les traditions mexicaines en matière d'élevage de chevaux.

Une intention délibérée présida au projet d'élevage : l'azteca ne devait avoir aucune des caractéristiques propres aux pur-sang ou aux demi-sang européens. Cheval élégant, marqué par des caractéristiques

hispano-latines, l'azteca est utilisé pour l'équitation de loisir et de compétition.

L'ascendance espagnole de l'azteca est évidente : une tête moyenne, plutôt petite, de petites oreilles dressées et un regard fier et généreux. Le profil est rectiligne ou légèrement concave, les naseaux s'évasent aisément. L'encolure est élégamment arquée, substantielle et bien musclée ; les épaules sont tombantes, les membres sont fins et solides. La partie supérieure des membres est bien musclée.

L'azteca possède l'allure altière de l'andalou, la robustesse du criollo, la vitesse, l'agilité et la grâce du quarter horse. Toutes les robes sont admises sauf le pie. L'azteca toise entre 1,50 m et 1,52 m.

L'azteca est le résultat d'un mélange de lignées de cheval ibérique, de quarter horse, et de criollo.

CRIOLLO

Les *conquistadors* espagnols, qui réintroduisirent le cheval en Amérique, amenèrent des pur-sang arabes, des barbes et d'excellents spécimens ibériques. Ces trois lignées sont à l'origine du criollo, race autochtone d'Argentine. Le criollo sillonna pendant plusieurs siècles les plaines d'Argentine dénuées d'arbres (la *pampa*), où une sélection naturelle sans pitié le mit à rude épreuve, faisant de lui l'une des races les plus résistantes au monde.

Les *gauchos*, cow-boys sud-américains, qui avaient identifié l'excellente robustesse, la résistance, la vitesse et l'endurance des criollos, les utilisaient comme chevaux de bât.

Robuste, le criollo peut survivre avec presque rien et est un travailleur obéissant. Il est capable de résister aux conditions les plus pénibles.

Aujourd'hui, des troupeaux vivent à l'état semi-sauvage dans d'immenses ranches d'Amérique du Sud, où ils sont capturés puis domptés. Ils sont encore

Des croisements avec des pur-sang ont failli menacer la race criollo, devenue rare. Des mesures de sauvegarde ont été prises.

utilisés pour trier le bétail et comme chevaux d'équitation. Croisés avec des pur-sang, les chevaux obtenus font d'excellents poneys de polo.

On a recours à des tests d'endurance extrêmement sévères pour évaluer des criollos pour l'élevage : les chevaux doivent parcourir 750 km en transportant une charge de 111 kg en un temps donné.

On laisse les chevaux se nourrir par eux-mêmes, puis un vétérinaire les examine à la fin du test.

La conformation du criollo reflète sa résistance, avec un front large, un regard alerte et un profil légèrement concave.

Les oreilles sont plutôt longues. L'encolure est bien développée, avec un dos et une cage thoracique larges et des membres puissants. Les épaules sont longues et inclinées, les jambes osseuses, courtes et robustes, le dos est court.

La robe la plus répandue est l'isabelle, associée à une queue et une crinière noire, une raie de mulet et des zébrures sur les membres. D'autres couleurs possibles sont l'alezan, le bai, le noir, le palomino, le rouan et le pie. Le criollo toise entre 1,42 m et 1,52 m.

23

FALABELLA

On raconte que l'on vit pour la première fois des chevaux falabella au XIXe siècle, parmi les troupeaux d'Indiens en Amérique du Sud. En vérité, la race fut probablement créée par la famille Falabella, dans leur ranch des environs de Buenos Aires en Argentine, il y a un peu plus d'un siècle. La race est issue de croisements entre des petits étalons arabes et pur-sang avec des juments shetland. La taille a diminué au cours du processus de sélection.

Le falabella n'est pas un poney, mais un cheval miniature, avec la conformation et les

Le minuscule falabella n'entre pas dans la catégorie des poneys. C'est un petit cheval, pouvant être monté par de petits enfants.

caractéristiques d'un cheval. En raison d'une consanguinité excessive, la conformation de certains spécimens est loin d'être idéale, avec un aspect parfois assez étrange. Les éleveurs tentent aujourd'hui de corriger ces défauts dus à des faiblesses héréditaires et d'améliorer la race. La taille de ce petit cheval ne devant pas excéder 76 cm, il ne peut être monté que par de tout petits enfants.

Affectueux, le falabella est un animal de compagnie idéal, si ce n'est qu'il nécessite les mêmes soins qu'un cheval. Capable de tirer de petites carrioles, il peut aussi participer à des épreuves en main lors d'exhibitions.

Les plus beaux sujets ressemblent à des pur-sang ou des arabes miniatures, bien que leurs origines shetland ressortent parfois. Comme chez le cheval, la tête est fine, avec un profil rectiligne et de petits naseaux ouverts. Les oreilles sont petites et bien écartées, le regard est doux. Le corps est de taille moyenne, avec une ossature légère, des

membres fins, comme chez le pur-sang.

Le falabella est une race délicieuse. qui procure tous les plaisirs d'une race plus grande, mais à un coût plus faible, puisqu'un falabella nécessite une surface de terrain réduite. Cependant, il ne bénéficie pas d'une constitution robuste et exige les mêmes soins que n'importe quel cheval fragile. C'est un animal accommodant, docile et obéissant.

Toutes les couleurs solides de robe sont admises, ainsi que le gris et le rouan. Les robes de type appaloosa sont cependant très fréquentes.

FLORIDA CRACKER

Les cow-boys de Floride, surnommés « crackers » car ils faisaient « claquer » (*crack* en anglais) leur fouet, donnèrent le même nom à leurs petits chevaux agiles. Au XVIᵉ siècle, le *conquistador* espagnol Juan Ponce de Leon amena en Amérique, lors de son second voyage en Floride, des chevaux, du bétail et d'autres animaux. Les florida crackers ont donc des ancêtres ibériques.

Les florida crackers étaient assez répandus jusqu'au début du XXᵉ siècle, mais leur déclin s'accéléra dans les années 1930, et la race est aujourd'hui au bord de l'extinction. À la fin des années 1980, il ne restait que quelques petits troupeaux, propriété de familles d'éleveurs en ranch. Les propriétaires de ranch prirent heureusement conscience de leur importance.

Le cracker, dont les qualités en tant que cheval de bétail ne sont plus à prouver, est un animal rapide, robuste et

facile à monter. La race n'ayant que très peu évolué au fil du temps, les chevaux actuels ressemblent beaucoup à ceux des *conquistadors* espagnols, il y a plus de 500 ans.

La population s'accroît aujourd'hui, et bien que les demandes ne soient pas encore très nombreuses, elles ne cessent d'augmenter. De nouveaux troupeaux ont été créés et l'on apprécie aujourd'hui l'importance de l'héritage du florida cracker. Fondée en avril 1989, la Florida Cracker Horse Association a pour but de préserver et de perpétuer la race.

Le florida cracker est un petit cheval de selle qui toise entre 1,40 m et 1,52 m.

Le dos est court, la croupe tombante. Bien qu'il existe toutes les couleurs de robe, le gris est le plus répandu.

Autrefois menacé, l'avenir du florida cracker s'annonce désormais plus prometteur : la race a été reconnue comme une part importante de l'histoire de la Floride.

GALICEÑO

Le galiceño descend des chevaux de Galicie au nord-ouest de l'Espagne, et des garrano, poneys de montagne du Portugal. Il faisait partie des chevaux amenés en Amérique par le *conquistador* espagnol Hernán Cortés, lorsqu'il envahit le Mexique en 1519.

Une fois débarqués au Mexico, certains de ces chevaux furent sans doute dérobés par la population autochtone, ou s'enfuirent, errant à l'état semi-sauvage, la race se développant d'elle-même. On finit par les considérer comme indigènes sur le continent.

Il sait lorsque vous êtes content.
Il sait lorsque vous êtes assis confortablement.
Il sait lorsque vous avez confiance.
Et il sait tout le temps lorsque vous avez des carottes.

Anonyme

Le galiceño est fortement marqué par son ascendance arabe, dont il a hérité bon nombre des caractéristiques de la race. Les galiceños sont très populaires en Amérique du Nord comme poneys d'équitation pour les enfants, participant aussi aux compétitions pour cette classe d'âge. En Amérique Latine, on les utilise encore pour travailler dans les ranches, où leur force et leur résistance sont particulièrement appréciées.

Le galiceño est capable de porter un homme en terrain accidenté une journée durant sans être fatigué. Il possède une allure particulière, le *running walk*, qui lui permet d'avancer rapidement, efficacement et souplement, faisant de lui un spécimen idéal pour les courses et les épreuves d'attelage.

Petit et compact, le galiceño doit à son ascendance arabe sa tête fine et étroite. Ses oreilles sont minces et pointées, son museau est court avec de grands naseaux ouverts.

Il a de grands yeux intelligents, une longue encolure bien développée, ornée d'une longue crinière. Le garrot est saillant, avec de belles épaules tombantes et un large poitrail. Le corps est trapu, mais le dos est inhabituellement étroit. Contrairement à l'arabe, la queue est basse et tout comme la crinière, peut être portée longue. Bien que fines, les jambes sont puissantes, terminées par de solides sabots bien formés.

Son allure longue et souple rend le galiceño confortable sous la selle pendant un long trajet. Intelligent et rapide dans ses réactions, il est excellent en compétition.

Il toise entre 1,21 m et 1,40 m. Toutes les robes simples, ainsi que le palomino, l'isabelle et le gris, sont autorisées.

Issu de croisements entre des chevaux espagnols de Galicie et des garrano portugais, le galiceño possède aussi une ascendance arabe, qui a grandement contribué au succès de la race.

MANGALARGA MARCHADOR

Le Brésil et le Portugal entretinrent des liens étroits pendant des siècles, ayant même un temps le même régent, le roi Jean VI de Portugal vers 1815. Il amena au Brésil des chevaux portugais et espagnols de qualité, comme l'andalou et l'altér real.

La race brésilienne mangalarga est directement issue de Sublime, un étalon altér real qui couvrit plusieurs juments criollo. Par la suite, des altér real, des barbes et des andalous améliorèrent la race. Le résultat est un cheval élégant, de conformation légère, très marqué par l'ascendance barbe, mais possédant les allures balancées des races ibériques.

Le mangalarga est le plus souvent utilisé dans les énormes estancias du Brésil, l'une de ses cinq allures, la *marcha trotada*, le rendant très confortable sous la selle.

Au pas, au trot et au galop, son allure est fluide et stable. Il possède une allure naturelle diagonale (*batida*) ou latérale (*picada*) à quatre temps.

Le mangalarga a une tête longue et fière, des oreilles de longueur moyenne, des yeux intelligents, un profil rectiligne avec des naseaux ouverts. Le dos est long, avec des reins puissants et des membres élégants ; les épaules sont tombantes et le poitrail profond, les jambes bien musclées se terminent par des sabots solides.

D'une résistance incroyable, il peut travailler toute la journée et parcourir d'énormes distances. Doux et obéissant, il toise autour de 1,52 m. La robe est grise, baie, alezane ou rouanne.

Le mangalarga marchador est utilisé dans les épreuves d'endurance, de trek, de saut et de polo. Ce cheval polyvalent est excellent en concours d'équitation et en exhibition.

30

MISSOURI FOX TROTTER

La race missouri fox trotter fut créée au XIXᵉ siècle par les colons américains dans le Missouri et l'Arkansas, pour obtenir des chevaux rapides et endurants, à l'aise en terrain difficile. Elle est issue de croisements entre le morgan, le pur-sang, l'arabe ainsi que le cheval ibérique.

Les chevaux possédant des allures élaborées étant de plus en plus recherchés, on fit plus tard des apports d'american saddlebred (selle américain) et de tennessee walking horse. Ces judicieuses infusions de sang apportèrent davantage d'élégance à la race et améliorèrent son allure particulière, le *foxtrot*. Lorsqu'il court à cette allure qui

Le missouri fox trotter doit son nom à son allure supplémentaire, le foxtrot.

s'effectue en quatre temps, le cheval galope des antérieurs, tandis qu'il trotte ou marche au pas avec les postérieurs.

Autrefois, des courses de fox trotters étaient organisées aux États-Unis, mais le puritanisme religieux finit par interdire cette pratique. L'animal fut reconverti en cheval de selle.

Un *stud-book* fut ouvert en 1948 et l'association pour la race fixe des critères stricts. Ainsi, l'allure du missouri fox trotter ne doit être ni influencée ni encouragée de manière artificielle, c'est-à-dire par la chirurgie ou par des entraves au niveau de la queue. En conséquence, son action n'est ni

aussi prononcée ni aussi spectaculaire que chez l'american saddlebred, par exemple. La race est populaire aux États-Unis, où le cheval est utilisé comme cheval de selle, d'exhibition et d'endurance.

La tête est plutôt ordinaire, avec un profil rectiligne, un museau carré et des naseaux bien ouverts. Les oreilles sont de longueur moyenne, le regard a une expression gentille, mais intelligente. L'encolure est assez bien développée, avec un garrot saillant. le dos est court, l'arrière-main et les reins sont puissants. La queue est attachée assez bas, les longs membres ont des jointures larges, les sabots sont solides.

Le missouri fox trotter a un caractère docile et charmant. Coopératif et obéissant, il est résistant et endurant. Il toise entre 1,42 m et 1,62 m.

MORGAN

Cette race, l'une des plus célèbres et des plus polyvalentes d'Amérique, est née d'un petit étalon bai appelé Figure et rebaptisé plus tard Justin Morgan, du nom de son propriétaire. Thomas Justin Morgan, aubergiste et professeur de chant, tirait en effet des revenus supplémentaires de l'élevage d'étalons.

Le poulain naquit vers 1 790 dans le Vermont. Son géniteur était probablement un welsh cob, appelé True Briton.

Le morgan est une des premières races à avoir été développée aux États-Unis.

On ne sait presque rien de la mère, si ce n'est qu'elle avait sans doute du sang oriental et pur-sang.

Thomas Justin Morgan fut si impressionné par l'aspect et la personnalité de son étalon, qu'il décida d'en faire un reproducteur. Les résultats furent remarquables : quelle que fût la jument couverte par Justin Morgan, la progéniture était la réplique exacte du père. De plus, les prouesses du reproducteur, merveilleux cheval de harnais et de selle, semblèrent se transmettre à sa descendance, étant donné les performances de chacun. De l'avis général, il était exceptionnel qu'un seul et unique étalon soit à l'origine d'une race aussi importante et impressionnante.

Le morgan est toujours aussi polyvalent aujourd'hui, utilisé en compétition, en exhibition, en T.R.E.C. et comme cheval de selle. Fort et besogneux, il est de nature fougueuse mais docile.

Sa tête traduit immédiatement ses qualités, possédant de beaux yeux expressifs. Son museau est petit avec un profil rectiligne légèrement concave. L'encolure est bien arquée et les épaules sont puissantes. L'arrière-main est large et forte, les jambes sont robustes.

De nos jours, on distingue deux types : le park morgan est élevé pour son action relevée, tandis que l'action du pleasure morgan est moins ample. Toutes les couleurs simples sont acceptées dans cette race. Les chevaux toisent généralement entre 1,42 m et 1,57 m.

Le morgan est une race très séduisante, qui excelle dans tous les domaines de l'équitation.

MUSTANG

Lorsque les *conquistadors* débarquèrent en Amérique au XVIe siècle, ils réintroduisirent les chevaux sur le continent, car bien qu'ayant existé à la préhistoire, l'espèce s'était éteinte par la suite. Les Espagnols amenèrent par bateau des chevaux ibériques, principalement issus d'arabes et de barbes. Plusieurs de ces chevaux élégants, robustes, qui avaient été élevés dans le désert, furent condamnés à errer, se répandant à travers l'Amérique du Nord où ils formèrent des troupeaux de chevaux sauvages que l'on appela mustangs.

Les Indiens, repérant les qualités de ces mustangs, en attrapèrent et les domestiquèrent. Ils développèrent aussi leurs propres races, à partir du mustang, comme l'appaloosa, le cayuse et le chickasaw (races de poney indien).

Il y avait entre un et deux millions de mustangs au début du XIXe siècle, la plupart en liberté, les autres ayant été capturés et utilisés par les colons. Puis les chevaux sauvages commencèrent à être hélas considérés comme une nuisance, et furent abattus par milliers pour faire place

Aujourd'hui, les troupeaux de mustangs sauvages ne sont plus que quelques poignées par rapport à leurs ancêtres. Des efforts sont cependant faits pour préserver la race.

au bétail. Les propriétaires de ranch ne sont pas les seuls responsables de leur décimation. On en tua des milliers au XXe siècle, sacrifiés pour l'industrie des aliments destinés aux animaux domestiques.

Il ne reste malheureusement plus que 50 000 mustangs aujourd'hui.

Rivières trop larges à sauter, haies beaucoup trop hautes, charges trop lourdes, fardeaux trop encombrants à porter ou à tracter, distances beaucoup trop longues à parcourir en une journée… Le cheval nous apprend ce qu'est la domination de soi !

Pam Brown

Dans certaines régions, les chiffres sont dangereusement faibles. Des efforts sont cependant menés pour sauvegarder la race : le mustang est aujourd'hui fort heureusement considéré comme une part importante de l'héritage américain et est désormais une espèce protégée.

Toutes les couleurs de robe existent, ainsi que toutes les tailles et conformations. Le brun, l'alezan, le bai et l'isabelle sont toutefois les couleurs les plus répandues, et la taille moyenne d'un mustang varie entre 1,42 m et 1,62 m. Les chevaux comportant des caractéristiques barbes sont particulièrement appréciés des éleveurs. D'une intelligence innée, le mustang est facile à éduquer, robuste et résistant.

Les jeunes mustangs sont relativement faciles à domestiquer et font d'excellents chevaux de selle.

NATIONAL SHOW HORSE

Le national show horse est une race relativement récente, créée en 1981. Elle est issue du croisement entre l'american saddlebred et l'arabe, et utilise différents croisements pour améliorer la race. Les étalons sont sélectionnés avec beaucoup d'attention, devant être eux-mêmes de pure race et inscrits au *National Show Horse Registry*. Les poulains enregistrés doivent contenir entre 25 % et 99 % de sang arabe.

Ce cheval est d'une élégance et d'une beauté exceptionnelles. Il ressemble de manière frappante à l'american saddlebred,

L'élégant national show horse possède une robe uniforme, avec parfois des taches blanches comme les chevaux ci-contre.

Le national show horse combine les meilleures qualités de l'american saddlebred et du cheval arabe.

tout en ayant le raffinement des chevaux arabes. Il possède l'encolure haute et longue du saddlebred, sans crête prononcée, évoquant plutôt celle d'un cygne. La tête est petite et raffinée, les oreilles sont bien placées. Le profil est rectiligne ou légèrement concave. L'épaule est profonde et inclinée, le port de queue est haut. Le national show horse a une ossature raffinée, avec des jambes correctes et des canons courts.

Ce flamboyant cheval est un bon cheval de selle. Il a une action très relevée. La race est utilisée dans bon nombre de disciplines, comme l'endurance, le saut, le dressage et l'équitation western. D'humeur égale, il semble à l'aise au milieu des gens, étant d'un naturel amical, vif et énergique. Toutes les couleurs de robe sont autorisées. Sa taille moyenne se situe entre 1,57 m et 1,67 m.

PASO FINO

Originaire de Porto Rico, le paso fino descend des chevaux ibériques amenés en Amérique par les *conquistadors* espagnols au XVIᵉ siècle. Les différences d'environnement dans lequel il vécut entraînèrent cependant des changements de caractéristiques et de conformation au cours de son évolution.

Le paso fino est un cheval d'allure naturelle, comme le paso péruvien (page 52). Bien qu'étant avant tout un cheval de travail, il se distingue des autres variétés de chevaux du type paso par son élégance. Selon ses défenseurs, son allure naturelle régulière, à quatre temps, qu'il peut effectuer à différentes vitesses, fait de lui le cheval se selle le plus doux au monde. Le *paso fino* classique est une allure rassemblée, exécutée d'un pas rapide qui ne couvre que peu de terrain. Le *paso corto* est l'allure de croisière, soutenue et endurante, tandis que le *paso largo* est l'allure la plus rapide, le cheval

L'ascendance ibérique est toujours très présente chez le paso fino.

pouvant atteindre une vitesse équivalente au galop. Tous les paso fino ne parviennent pas à exécuter le *paso fino* classique, mais la plupart arrivent à réaliser aisément les autres allures.

Il existe encore deux variantes : le *sobre paso* est une allure plus naturelle qui permet au cheval d'être détendu et tenu aux rênes longues. Cette allure est pratiquée en équitation classique. Enfin, l'*andadura*, qui est une allure rapide. Inconfortables toutes les deux, elles ne sont exécutées que sur une courte durée. Le reste du temps, l'allure

souple et régulière du cheval le rend extrêmement confortable.

Les paso fino sont très demandés pour les spectacles et les exhibitions. La tête très belle est fine, comme l'arabe, avec un profil rectiligne et des naseaux ouverts. Les oreilles sont longues et pointues, le regard intelligent. Le corps est très marqué par l'influence espagnole, très proche de celui de l'andalou, avec une épaule bien tombante, une encolure bien développée, un dos de longueur moyenne. La queue est attachée bas, les jambes robustes et puissantes comportent d'excellents jarrets, particulièrement gros.

Le paso fino a un excellent caractère et fait preuve de beaucoup d'enthousiasme. De petite stature, il toise entre 1,42 m et 1,52 m. Il est cependant très costaud, pouvant aisément porter un homme en terrain accidenté. Toutes les robes sont autorisées.

Au rythme de leur chevauchée, ils allaient çà et là, et elle savait que son cheval était aussi enthousiaste qu'elle, aussi amoureux de vitesse, de grand air et de liberté.

Georges Mac Hargue

PASO PÉRUVIEN

Comme son nom l'indique, le paso péruvien est originaire du Pérou. Race sœur du paso fino, le cheval national de Porto Rico, elles partagent toutes deux les mêmes ancêtres : des chevaux barbes et ibériques amenés en Amérique au XVIᵉ siècle par les *conquistadors*.

Le paso péruvien s'est bien adapté à son environnement. Il est capable de porter un cavalier sur de grandes distances en terrain accidenté, de manière confortable et en toute sécurité. Il s'est également adapté aux altitudes élevées des Andes, ayant développé un cœur plus puissant et plus gros, ainsi qu'une plus grande capacité pulmonaire que d'autres races. Cela lui permet d'évoluer même dans les milieux où l'oxygène est rare.

Comme les autres races de type paso, le paso péruvien possède une allure naturelle latéralisée à quatre temps, ce qui le rend très confortable sur de longues distances, sans pour autant se fatiguer lui-même. On distingue trois vitesses : le *paso corto*, utilisé à des fins pratiques ; le *paso fino*, une allure lente utilisée dans les parades et qui donne une impression de ralenti ; enfin, le *paso largo*, la plus rapide. Ces caractéristiques sont transmises par les juments à leurs poulains et sont complètement naturelles, ne nécessitant aucune aide artificielle.

Une fois que l'on s'est habitué à ces allures (le cheval ne trotte ni ne galope jamais), le paso péruvien fait une excellente monture.

De stature semblable à son cousin le paso fino, la tête fine ressemble à celle du barbe, avec des oreilles bien dressées et un regard vif et fier. Les naseaux se dilatent facilement, permettant d'inhaler le plus d'oxygène possible. Le corps évoque clairement son héritage espagnol, très proche de l'andalou. Les jambes robustes, relativement longues et bien musclées, sont terminées par de solides sabots.

Le paso péruvien et le paso fino, qui ont des ancêtres communs, partagent leurs allures spectaculaires.

Robuste et énergique, le paso péruvien est aussi placide et intelligent, obéissant et enthousiaste. Toutes les robes sont permises, le bai et l'alezan étant toutefois prédominants. Marques blanches et balzanes sont autorisées. La queue et la crinière sont abondantes, le pelage fin et lustré, est raide ou b ouclé. Les chevaux toisent entre 1,42 m et 1,57 m.

PINTO ET PAINT HORSE

Le pinto et le paint horse (de l'espagnol *pintado*, qui veut dire « peint »), comme de nombreuses races américaines anciennes, descendent des chevaux ibériques introduits en Amérique par les *conquistadors* au XVIᵉ siècle.

Dans les pays anglophones, les termes *piebald* (ou pie noir, c'est-à-dire noir et

Cheval au pied sûr, doté d'une bonne résistance, le paint horse est apprécié en trail, une discipline western.

blanc) ou *skewbald* (pie alezan, alezan et blanc) désignent des chevaux dont la robe peut être de n'importe quelle couleur simple, tachée de blanc. Aux États-Unis, il existe une distinction entre pinto (race de chevaux de couleur, basée sur la couleur pie) et paint horse (race équine de chevaux quarter horses pies). Ainsi, n'importe quel cheval de couleur pie peut être enregistré par la *Pinto horse association of America*, tandis que seuls les chevaux de couleur pie attestant de lignées pur-sang quarter horse ou paint sont admis par l'*American paint horse association*.

Ah, cette petite émotion qui m'étreint lorsque je m'approche d'un cheval et que nos regards se croisent ! Il renâcle alors, je flatte le velours de ses naseaux et mon cœur bat.

B. Mols

Les premiers chevaux espagnols débarqués sur le continent américain retournèrent pour certains à l'état sauvage, se répandant peu à peu à travers l'Amérique du Nord, errant dans les déserts de l'Ouest. Domestiqués par les Indiens, ils furent vénérés car on attribuait aux chevaux pinto des pouvoirs magiques.

Les propriétaires de ranch adoptèrent aussi ces chevaux robustes, dont la résistance et l'agilité les rendaient très précieux pour travailler sur de grandes distances. Ils sont utilisés aujourd'hui comme chevaux de travail et de rodéo, de spectacle et comme chevaux de selle.

Le paint horse a une tête fine et élégante, une encolure bien dessinée. Les oreilles dressées sont de longueur moyenne, son regard exprime l'intelligence. Le dos est plutôt court, avec de longues jambes fortes, terminées par des sabots durs et solides.

Le paint horse est connu pour sa robe, qui peut être noire, alezane, brune, baie, isabelle, rousse, palomino, grise ou rouanne,

Le paint horse présente trois patrons de robe : le pie tobiano, le pie overo et le tovero.

avec de larges taches blanches. On distingue 3 types de patrons de robe : le pie tobiano est caractérisé par une tête colorée, des jambes blanches et une queue bicolore. Des plaques blanches verticales, à contours nets, traversent le dos. Le pie overo présente une dominance de noir ou de blanc, le blanc ne devant pas couvrir le dos entre le garrot et la queue. La tête est blanche, les contours sont irréguliers sur le corps. La queue est unicolore, une jambe au moins est colorée. Enfin, le tovero est un mélange des deux. Le paint horse toise entre 1,47 m et 1,57 m.

PONEY DES AMÉRIQUES

Cette race relativement récente date des années 1950. Elle résulte d'un croisement accidentel entre un poney shetland écossais et d'une jument arabe appaloosa. Le poulain, Black Hand I, plus petit que son géniteur, devint l'étalon fondateur de la race poney des Amériques.

La race ressemble davantage à un petit cheval qu'à un poney ; elle fut améliorée plus tard par des croisements avec du sang quarter horse et arabe, à l'origine d'un cheval à l'action relevée, spectaculaire, très populaire dans les shows.

Le poney des Amériques, par sa stature, est idéal pour les petits enfants qui peuvent le manipuler facilement. Assez fort pour

Leslie Boomhower, éleveur de poneys shetland dans l'Iowa, est considéré comme le fondateur de la race poney des Amériques.

porter un petit adulte, on l'utilise pour les épreuves d'endurance, de randonnée, de saut, ainsi qu'en course de trot et de plat.

La tête trahit son origine arabe, avec un front large, de petites oreilles pointues, et

un profil rectiligne ou légèrement concave. Il a de grands yeux gentils. Son corps est de longueur moyenne, ses épaules sont obliques, ses membres bien développés, ses jambes sont fines mais puissantes. Robuste et résistant, il est calme et néanmoins enthousiaste. Sa robe possède les mêmes caractéristiques que celle de l'appaloosa. Le poney des Amériques toise en moyenne entre 1,35 m et 1,42 m.

Pour parler à un cheval, il n'y a pas besoin de mots. C'est une étreinte charnelle qui alimente nos rêves.

Bartabas, *Bartabas, roman*

CHEVAUX D'AMÉRIQUE

QUARTER HORSE

Il n'est pas étonnant que le quarter horse occupe une place à part dans le cœur des amoureux des chevaux en Amérique du Nord, car la race fut la première à être établie aux États-Unis.

Les origines du quarter horse remontent à plus de 500 ans, lorsque les *conquistadors* espagnols amenèrent en Floride des chevaux ibériques et orientaux. Les colons anglais acquirent ces chevaux des Indiens Chickasaw, qu'ils croisèrent ensuite avec leurs propres chevaux anglais, essentiellement des pur-sang, et qu'ils améliorèrent encore avec du sang pur-sang.

Bien avant la création des hippodromes, les premiers colons organisaient des courses de chevaux dans la rue principale de leur ville, qui mesurait environ un quart de mile

Le quarter horse excelle sur les champs de course, mais est aussi un bon cheval de selle.

(environ 400 mètres). Le terme quarter horse fait donc référence à ces chevaux qui battaient des records de vitesse sur une courte distance. Grâce à une arrière-main puissante, le quarter horse est capable de fortes accélérations, plus rapides même que le pur-sang sur des sprints courts.

Le quarter horse n'est pas seulement un *sprinter* émérite, c'est aussi un bon cheval de selle, ainsi qu'un cheval de bât efficace. De plus, son instinct naturel à rassembler les troupeaux constitue une qualité précieuse, qu'il a sans doute héritée de ses ancêtres ibériques, qui possédaient des nerfs d'acier et une incroyable agilité. Les quarter horses sont aussi de très bons chevaux de travail de bétail, ayant foulé le sol des arènes avec les taureaux du Portugal et d'Espagne pendant des générations. C'est aujourd'hui leur utilisation dans les courses qui prédomine, mais leur présence dans les rodéos, le trailing ou leur utilisation comme chevaux de selle sont répandues dans tous les États-Unis, le Canada, l'Australie et même certaines régions d'Europe.

Le quarter horse est un cheval assez grand, en raison de l'influence du pur-sang dans la lignée. La tête est relativement petite, les yeux sont vifs et bien écartés. L'encolure,

Il existe deux types distincts de quarter horse : le type « bulldog » d'origine, et le « quarter de course », qui ressemble davantage à un pur-sang très musclé.

l'arrière-main et le dos sont puissamment musclés, laissant apparaître le pied relativement petit.

Docile et courageux, il toise entre 1,47 m et 1,62 m. Toutes les couleurs de robe existent.

TROTTEUR AMÉRICAIN

Le trotteur américain (ou standardbred) est recherché pour ses performances en trot et est utilisé partout dans le monde dans les courses sous harnais. La race fut créée il y a deux cents ans, les courses de trot étant devenues suffisamment populaires pour garantir un programme d'élevage.

L'étalon fondateur de la race actuelle est Messenger, un pur-sang gris né en 1780 et importé à Philadelphie en 1788. Alors que Messenger fut élevé pour les traditionnelles courses de galop, son géniteur, Mambrino, fut à l'origine d'une longue dynastie de chevaux de trot célèbres en Angleterre.

Messenger pratiqua des saillies pendant 20 ans et devint célèbre pour sa progéniture nombreuse de trotteurs robustes et talentueux. Entre-temps, au milieu du XIXe siècle en Nouvelle-Angleterre, la race

Le terme américain standardbred *pour désigner le trotteur américain fait référence aux standards de vitesse exigés pour qu'un cheval soit accepté au* stud-book.

morgan était utilisée pour produire une lignée de trotteurs plus petits possédant une action relevée. Elle fut combinée par la suite à la longue foulée de Messenger, augmentant ainsi la performance du trotteur américain.

Le trot du trotteur américain semble rapide par rapport à celui de races ordinaires. Au trot, les jambes du cheval bougent par paires diagonales. En revanche, l'amble est une allure particulière au trotteur américain, où les jambes se déplacent par paires latérales. Alors que le trot est inné à chaque

Le cheval, comme chacun sait, est la part la plus importante du chevalier .

Jean Giraudoux, *Ondine*

cheval, l'amble doit être en général enseignée, bien que certains trotteurs la pratiquent dès la naissance. L'amble est plus rapide que le trot car elle permet à la foulée d'être plus longue et plus économique.

Le terme américain *standardbred*, qui désigne cette race de chevaux, date de 1 879.

À l'époque, on testait les performances des chevaux lors de courses attelées pendant un temps donné (*time standard*). Le trotteur américain devait parcourir un mile, soit 1,600 km, en 2 minutes et 30 secondes. Depuis, l'amélioration de la race a permis de dépasser facilement cet objectif.

Chez le trotteur américain, la tête est proportionnelle au corps et les yeux sont doux, tandis que les oreilles indiquent sa vivacité. C'est un cheval musclé, avec un ventre levretté, une épaule tombante et un dos puissant. Les jambes ressemblent à celles du pur-sang, mais sont plus solides,

Les trotteurs américains sont souvent utilisés pour améliorer d'autres races de chevaux de courses attelées.

avec des jointures plus grosses ; les sabots sont larges et robustes.

Le trotteur américain est doté d'un excellent caractère. Placide en dehors des champs de course, il est combatif et plein d'énergie en compétition. Les couleurs de robe les plus fréquentes sont le bai, le noir, le bai brun et l'alezan. Sa taille varie entre 1,47 m et 1,77 m.

TENNESSEE WALKING HORSE

Le tennessee walking horse est originaire du sud des États-Unis, où les propriétaires de plantations recherchaient une race de travail très confortable pour arpenter leur domaine. L'allure fluide et régulière de celui que l'on appelle aussi tennessee walker, procure des heures de confort en selle ; le mouvement est réalisé par le coude plutôt que par l'épaule, ne transmettant ainsi que très peu de secousses au cavalier. Très utilisé pour l'équitation de loisir, le tennessee walker est de plus en plus présent dans les shows et les spectacles. On l'emploie aussi bien en équitation classique que comme cheval de harnais.

Le tennessee walking horse possède trois allures caractéristiques et propres à la race : le *flat foot walk* (pas lent et glissé), le *running walk* (pas rapide et dissocié, commode, rapide et très ample), et le *rocking chair canter* (petit galop rassemblé et confortable). Le premier cheval à posséder ce talent inné naquit en 1837, mais il fallut attendre plus de 50 ans pour créer une race.

Le tennessee walker est issu d'un mélange de races, dont le pur-sang, le trotteur américain (standardbred), le selle américain (american saddlebred), le narragansett pacer et le morgan. L'étalon fondateur de la race, le trotteur américain Black Allan, naquit en 1886. Il possédait toutes les qualités requises, notamment un excellent caractère et des allures caractéristiques. Il fit une longue carrière au haras et la quasi-totalité des poulains hérita de ses traits. Lors de la création de l'association de la race en 1935, près de 300 000 chevaux étaient enregistrés.

Le tennessee walker possède une tête assez grande avec un profil rectiligne, un regard doux et des oreilles pointues. L'encolure est arquée et musclée, avec une base large, offrant un port de tête haut

Très confortable en selle, le tennessee walker est souvent choisi pour porter des cavaliers handicapés, ou souffrant de problèmes de dos.

et élégant. La posture est campée, les membres sont secs et forts, avec de bonnes articulations et des jarrets particulièrement puissants. La queue est portée artificiellement droite et haute par myotomie.

Naturellement doux et calme, le tennessee walker est célèbre pour ses allures particulières (*flat foot walk*, *running walk* et *rocking chair canter*) qui, bien qu'étant innées, doivent être développées par l'entraînement. Le *running walk* comporte plusieurs variantes : le *rack*, le *stepping pace*, le *fox-trot* et le *single-foot*.

Toutes les couleurs de robe existent, les plus répandues étant le noir, l'alezan, le bai brun, le gris, le rouan et le bai. La taille moyenne varie entre 1,52 m et 1,72 m.

CHAPITRE II

CHEVAUX D'EUROPE

ALTÉR REAL

Le Portugal possède deux races de chevaux, utilisées toutes deux pour la tauromachie et pour la haute école : le célèbre lusitano (page 166) et l'altér real, moins célèbre mais tout aussi noble. La race fut créée au XVIIIe siècle : 300 juments d'origine andalouse furent alors importées de Jerez en Espagne, par la maison royale portugaise de Braganza, pour fonder un haras à Vila de Portel dans la province d'Alentejo au sud du pays. Le haras devait fournir la cour royale de Lisbonne en carrossiers et chevaux de haute école. Huit ans plus tard, le haras fut déplacé à Altér do Chão, qui donna pour partie son nom à la race. Le mot *real* signifie quant à lui royal. Très appréciée dans les disciplines d'équitation classique, la race fournit également des chevaux de carrosse.

La race altér real fut gravement menacée pendant l'invasion napoléonienne de 1809-10, les troupes ayant saccagé le *L'altér real est un cheval de type baroque, particulièrement adapté à l'art équestre.*

haras et volé les meilleurs chevaux. Lorsque le roi Miguel abdiqua en 1832, la plupart des terres du haras furent confisquées.

Plus tard, des mesures furent adoptées pour tenter d'améliorer le stock existant, par l'introduction de sang pur-sang, normand et arabe ; cela ne fit hélas qu'affaiblir la race, qui perdit beaucoup de son type et de son caractère d'origine.

de son programme d'élevage. L'altér real est toujours utilisé par l'école portugaise d'art équestre et comme cheval de selle.

La tête fine a conservé toutes les qualités du type ibérique du lusitano et de l'andalou, avec un profil légèrement concave, des oreilles de longueur moyenne, des yeux vifs et intelligents. L'encolure est courte mais très arquée. Les épaules sont tombantes et la poitrine est bien développée. Le dos est court, avec des membres robustes, puissamment musclés au niveau des cuisses. Les paturons et les canons sont longs, les sabots petits, mais résistants.

L'altér real possède une action très relevée qui, associée à une haute et large avant-main, le fait paraître plus imposant qu'il n'est en réalité. Contrairement aux autres chevaux ibériques, l'altér real ne convient pas aux cavaliers débutants, en raison de son caractère fougueux et émotif. Ce cheval généralement de couleur baie, toise entre 1,52 m et 1,62 m.

À la fin du XIXᵉ siècle, l'élevage de la famille espagnole Zapata permit de réintroduire du sang andalou et chartreux, réparant en grande partie les dégâts causés par le passé.

Malheureusement pour l'altér real, la monarchie portugaise fut abolie au début du XXᵉ siècle, entraînant la dispersion du cheptel. Les étalons furent castrés et le *stud-book* détruit. La race doit aujourd'hui sa survie au Dr Ruy d'Andrade qui, avec deux étalons et quelques juments, créa un haras altér real d'excellente qualité, qu'il confia au ministère de l'agriculture portugais en 1932, responsable depuis

Moins célèbre que son illustre compatriote le lusitano, l'altér real est pourtant considéré comme le cheval national portugais.

ANDALOU

Cette célèbre race espagnole est l'une des plus anciennes à avoir été domestiquée : des peintures rupestres attestent que des chevaux de ce type étaient présents dans la péninsule ibérique dès 5 000 av. J.-C.

Les origines de la lignée andalouse sont multiples. Le cheval andalou, ou « cheval de pure race espagnole », descend du poney sorraia, dont il reste quelques sujets au Portugal, et du barbe nord-africain, apporté par les envahisseurs maures en 711. Les sujets se mélangèrent ensuite avec les races locales de la péninsule ibérique. Réputé pour ses allures relevées, l'andalou possède un élégant port de tête altier.

Présentant toutes les qualités requises au champ de bataille, il était particulièrement apprécié comme destrier. (On raconte que Babieca, le cheval du *Cid*, était un cheval andalou). Au XVIᵉ siècle, les *conquistadors* introduisirent la race en Amérique, qui fut à l'origine de plusieurs races américaines.

Présent chez 80 % des races modernes, le sang andalou a tout particulièrement influencé le connemara, natif d'Irlande, le lipizzan des Balkans, ainsi que le cleveland bay et le welsh cob des Îles britanniques. Il est également à l'origine des lignées américaines, ainsi que du lusitano, du chartreux et de l'altér real.

Cheval vaut plus que richesse.

Proverbe espagnol

Le cheval andalou est aujourd'hui l'une des races de chevaux les plus pures au monde. Il possède de nombreux points communs avec le lusitano qui lui est apparenté.

Au XVIIIᵉ siècle, le cheval andalou, de conformation lourde et robuste, fut croisé, pour répondre aux critères de mode de l'époque, avec des chevaux plus légers, plus élégants, utilisés pour la chasse et les courses. Au début du XIXᵉ siècle, la race était proche de l'extinction. Elle ne dut sa survie qu'aux moines chartreux des monastères de Castello, Jerez et Séville, qui élevaient des chevaux andalous depuis le XVᵉ siècle dans la plus grande rigueur.

Aujourd'hui, les plus beaux et les plus purs spécimens sont les chartreux ou

caballos Cartujanos en espagnol. Leur extrême rareté força le gouvernement espagnol à interdire leur exportation pendant plus d'un siècle. L'embargo ne fut levé que dans les années 1960.

Considéré aujourd'hui comme un animal de luxe, le cheval andalou n'est utilisé que pour de grandes occasions, pour les parades de rue par exemple, ou en tauromachie. Sa puissance et son agilité lui permettent d'exécuter avec aisance les mouvements les plus complexes. Il excelle dans les disciplines de dressage de haute école ainsi qu'en saut d'obstacles, mais est aussi un très bon cheval d'attelage ou de selle. Il participe souvent à des épreuves de présentation en main.

Ce magnifique cheval musclé possède une grande présence. Son encolure est forte, légèrement arquée et bien développée. Son abondante crinière est portée longue.

Ce sont deux chevaux andalous, Domero et Blanco, qui jouèrent le rôle de la monture de Gandalf, Shadowfax, dans Le Seigneur des Anneaux. *Le rôle d'Asfaloth incombait à un autre andalou nommé Florian.*

Le port de tête est altier, le front large et les oreilles de longueur moyenne. Ses yeux marron foncé sont doux, les naseaux sont ouverts, et la mâchoire est grande et bien musclée. La poitrine est arrondie, l'épaule est longue et tombante. Le poitrail est ample, la croupe rebondie, avec une queue longue et épaisse, attachée basse. Les jambes puissantes, terminées par des sabots compacts, possèdent de bonnes articulations.

Le cheval andalou est réputé pour ses allures spectaculaires. Le mouvement est relevé et allongé, donnant l'impression que le cheval plane. Les allures sont brillantes et énergiques, tout en restant souples et confortables.

Fiers et courageux, les chevaux andalous sont également gentils et sociables. Dotés d'une bouche très sensible, ils sont très obéissants.

Bien que les robes grises et baies soient les plus courantes, l'association du cheval andalou reconnaît d'autres couleurs de robe. En Espagne, selon le *stud-book*, seuls le gris, le bai et le noir sont acceptés. Les chevaux toisent entre 1,52 m et 1,67 m.

ANGLO-ARABE

La race anglo-arabe doit son nom aux deux plus grandes races du monde, le pur-sang, d'origine anglaise, et l'arabe. Mais c'est en France, dans le Limousin, que les premiers croisements entre pur-sang et arabes furent pratiqués, entraînant la création du *stud-book* français en 1833. Chaque pays possède son propre règlement en matière de *stud-book*. Ainsi, le Royaume-Uni ne tolère que le croisement entre les lignées arabe et pur-sang, ce qui n'est pas le cas de la France. En revanche, la norme de 25 % au minimum de sang arabe est commune à tous.

La race anglo-arabe résultant du mélange de deux races, elle n'est pas reconnue en tant que telle, à l'exception de l'anglo-arabe français. Il existe d'autres variatiosns en Europe : l'arabe gidrán (ou anglo-arabe hongrois), l'arabe shagya, également hongrois, l'arabe strelets, de Russie, et l'hispano-arabe, espagnol.

Les anglo-arabes font d'excellents chevaux de selle et s'illustrent dans la plupart des disciplines, notamment le saut d'obstacles, le concours complet et le dressage. Ils font aussi de bons chevaux d'exhibition, les crinières et les queues pouvant être tressées, contrairement aux purs arabes, qui doivent rester tels quels. L'anglo-arabe possède à la fois la taille et la vitesse du pur-sang, ainsi que la force, la résistance et l'intelligence de l'arabe.

Selon les sujets, les anglo-arabes sont marqués de manière prédominante par le caractère arabe ou pur-sang, parfois de manière assez équilibrée ; ce sont en tout cas des chevaux très polyvalents et très agréables à monter.

Croisement entre le pur-sang et l'arabe, l'anglo-arabe bénéficie de la vitesse du pur-sang et de l'élégance de l'arabe.

L'air du paradis est celui qui souffle entre les oreilles d'un cheval.

Proverbe arabe

L'anglo-arabe possède en général le squelette et la conformation du pur-sang et la queue et le port de tête élevé de l'arabe, ce qui peut parfois varier, certains chevaux ayant des os plus légers que d'autres. La tête comporte des traits incontestablement arabes, avec un profil rectiligne et légèrement concave, mais qui n'est pas aussi marqué que l'arabe. Les yeux sont vifs, les naseaux larges et bien ouverts. Les oreilles sont de taille moyenne, fines, dressées et bien mobiles. Le port de tête est relativement élevé, avec une encolure harmonieusement greffée. L'anglo-arabe présente des épaules obliques, une poitrine profonde, une arrière-main puissante,

comme le pur-sang. La queue peut être portée haute, comme l'arabe, ou basse, comme le pur-sang.

Les anglo-arabes sont généralement affectueux et intelligents. Courageux et fougueux, ils donnent toujours le meilleur d'eux-mêmes. Les couleurs les plus fréquentes sont le bai brun, le bai, l'alezan et le gris, le noir étant assez rare. Ils possèdent souvent des marques blanches en tête et des balzanes, jamais cependant sur le reste du corps. Les anglo-arabes toisent entre 1,47 m et 1,65 m.

La race anglo-arabe est très populaire en Europe. Les élevages français et polonais se consacrent presque uniquement aux chevaux de sport. L'anglo-arabe a également beaucoup servi à l'amélioration du célèbre selle français, spécialiste du saut d'obstacles.

BASHKIR CURLY

L'origine du bashkir curly reste à ce jour mystérieuse. On pense que cette race très ancienne serait apparentée aux chevaux de Sibérie, élevés depuis plusieurs siècles par le peuple Bashkiri en Oural du Sud. Le cheval possède un corps trapu, une tête massive et de petits naseaux bien ouverts, caractéristiques des chevaux élevés sous un climat rude. Sa fourrure, plus épaisse en hiver, tombe en été, certains sujets perdant même leurs crins.

Appelé également american curly, ce type de cheval est présent aux États-Unis depuis longtemps, une gravure de l'hiver 1800-1801 l'atteste. Dans l'Oural, il est utilisé comme cheval de trait et d'attelage.

Ses longs poils servent à fabriquer des vêtements, sa viande est consommée. Hormis des produits laitiers, le lait des juments sert à fabriquer le *kumiss*, une boisson alcoolisée. Le patrimoine génétique du bashkir curly étant différent de celui des autres chevaux, il possède entre autres un rythme cardiaque et respiratoire plus élevé.

Le bashkir curly possède de petites oreilles. Son regard reflète une expression intelligente, son profil est rectiligne. Chez les curly américains, la tête est plus petite,

Le bashkir curly possède des yeux bien espacés, caractéristiques des races orientales, et assurant un champ de vision plus large.

donnant à l'animal une allure plus élégante. L'encolure est bien développée, le corps est long tandis que ses jambes courtes et robustes sont typiques des chevaux vivant sous des climats rudes. Sa double couche de graisse sous la peau, lui permet de supporter le froid. Certains chevaux perdent les crins de leur crinière et de leur queue en été, pour repousser en hiver. À la naissance, les poulains ont d'épais poils frisés, même à l'intérieur des oreilles, ainsi que des cils frisés.

Doux, affectueux et travailleur, le bashkir est souvent alezan, palomino ou bai, et mesure entre 1,45 m et 1,55 m.

CHEVAL DE SANG BELGE

Cette race relativement récente connaît plusieurs appellations : cheval de sang belge ou *belgisch warmbloed paardenstamboek* en flamand (abrégé en BWP), ou encore warmblood belge ou belge sang chaud… Elle est issue de croisements sélectifs entre les meilleurs chevaux de cavalerie belges et les races lourdes utilisées pour l'agriculture. La race a également été améliorée par l'apport de pur-sang ou d'anglo-arabes, ainsi que par d'autres races européennes à sang chaud, comme le hanovrien, le holstein, le selle français et le cheval de selle hollandais. Le cheval de selle belge excelle en sports équestres, à un niveau international, notamment en saut d'obstacles, en concours complet et en dressage.

Presque parfaite, la conformation de ce cheval comporte de nombreux points communs avec celle du pur-sang. La tête de taille moyenne, comporte des yeux vifs et gentils, tandis que l'encolure, gracieusement

Un cheval ! Mon royaume pour un cheval !

Richard III, Shakespeare

Le cheval de sang belge est réputé pour ses allures fluides et son action souple. Endurant, courageux et volontaire, il est néanmoins doté d'une grande gentillesse.

arquée, est longue et bien développée. Le poitrail est bien musclé, la poitrine profonde et les épaules tombantes. De longueur moyenne, le dos présente des reins musclés et une puissante arrière-main. Les membres robustes sont terminés par de solides sabots, bien dessinés.

La taille moyenne du cheval de sang belge se situe autour de 1,63 m.

TRAIT BELGE

Le trait belge, appelé encore brabançon, brabant ou grand belge, est originaire de Belgique. Cette race ancienne, à peine plus récente que l'ardennais, est en partie issue de ce dernier. On suppose que le trait belge est aussi l'héritier du cheval des Flandres, qui vivait au Moyen Âge entre le XIe et le XVIe siècle, lequel descendait probablement du cheval des forêts primitif de l'ère quaternaire. Afin de préserver ses qualités, les éleveurs belges pratiquent une sélection rigoureuse qui repose sur le principe de l'*inbreeding*, excluant tout apport de sang étranger.

L'évolution du trait belge est directement liée à la géologie de sa zone d'élevage : le sol riche et lourd exige un cheval ayant une grande force de traction, et des articulations fortes lui permettant de soulever ses énormes pieds de la boue épaisse. C'est ainsi que vers 1870 apparurent trois groupes très nettement définis, dont est issu le trait belge moderne : la lignée des gros de la Dendre est caractérisée par d'énormes jambes, puissantes et musclées. Le type gris de Nivelles et du Hainaut présente une bonne conformation et une certaine élégance. Enfin le colosse de la Méhaigne est un grand cheval doté d'un tempérament vif.

Au fil des siècles, le trait belge a exercé une grande influence sur les races modernes, de la même manière que la lignée arabe, servant d'améliorateur du cheptel existant. Au Moyen Âge, le cheval fut importé dans l'Europe entière et son sang est également présent dans les sang chaud allemands. Les Russes le croisèrent avec des races locales pour obtenir des chevaux de travail.

Malgré sa taille, le trait belge possède une agréable conformation. Il a contribué à l'amélioration de nombreuses races lourdes actuelles.

Son influence est notable chez le shire, le trait irlandais et le clydesdale, pour ne citer que quelques races. Aujourd'hui, les étalons trait belge continuent d'être utilisés pour l'élevage de chevaux à sang chaud. Présents dans le monde entier, ce sont des chevaux de travail et de trait. Ils connaissent également le succès des arènes de spectacle.

Le trait belge possède une tête carrée, avec un profil rectiligne, de petites oreilles dressées, des yeux vifs et gentils. L'encolure courte est très forte et portée assez haut. Les épaules sont obliques, la poitrine est large et profonde. Le corps est court, le dos bien musclé et les membres puissants. Les jambes sont longues et musclées, terminées par des sabots larges, solides et bien dessinés. Les paturons comportent quelques fanons.

Le trait belge est tellement docile qu'on le dit aussi flegmatique. Volontaire et obéissant, sa force n'a d'égale que celle du shire. Ce travailleur acharné, doté d'une grande résistance et d'une solide constitution, n'exige que peu de nourriture par rapport à sa taille. Les chevaux sont le plus souvent alezan crins lavés, mais il existe aussi des robes rouan rouge, baies, isabelle et grises. Ce grand animal toise entre 1,65 m et 1,73 m.

CAMARGUE

C'est au beau milieu des marais et des étangs salés du delta du Rhône que vit cette race de chevaux semi-sauvages, sans cesse à la recherche de nourriture parmi la végétation éparse. Cette race très ancienne ressemble de manière frappante aux chevaux primitifs peints sur les murs de Lascaux à l'époque préhistorique. En traversant la Camargue pour envahir la péninsule ibérique, les Romains furent impressionnés par les qualités du cheval camargue, qu'ils croisèrent par la suite avec des races espagnoles.

La race fut améliorée au XIXᵉ siècle par des apports de sang postier breton, arabe, pur-sang et anglo-arabe, ce qui n'a cependant pas modifié son apparence générale.

Un rassemblement a lieu chaque année en Camargue pour faire le tri entre les chevaux sélectionnés pour l'équitation et

ceux de qualité inférieure, que l'on abattra. Cette pratique impitoyable contribue néanmoins à améliorer la race.

Les chevaux camargue sont traditionnellement montés par les *gardians*, qui les utilisent pour garder les troupeaux de taureaux de la région et lors de festivals où ils présentent leurs exploits équestres. Ces chevaux sont également utilisés pour la randonnée qui est d'ailleurs une attraction touristique.

Le camargue possède une tête plutôt carrée, avec un front plat, des oreilles courtes écartées à base large et des yeux expressifs. L'encolure de longueur moyenne est bien développée, l'épaule est bien orientée. Le dos, relativement court,

se termine par une queue basse. Les membres sont forts, la crinière et la queue sont particulièrement abondantes.

Les camargue sont des chevaux de selle obéissants, extrêmement agiles, capables de tourner brusquement au grand galop. En randonnée, ils ont le pied sûr et sont résistants. Les poulains naissent avec une robe de couleur sombre, qui devient au bout de plusieurs années grise le plus souvent, parfois baie, bai brun ou truitée. À l'âge adulte, la taille est comprise entre 1,35 m et 1,50 m.

Le paysage de Camargue est indissociable de ses fameux chevaux « blancs », présents dans la région depuis plusieurs siècles.

CLEVELAND BAY

L'excellent cleveland bay, ou bai de Cleveland, est la plus ancienne race de Grande-Bretagne, apparue au Moyen Âge. Elle est devenue progressivement plus rare, la population ayant atteint un seuil critique au siècle dernier. Grâce à un regain de popularité, la tendance s'inverse à présent.

La race, originaire du Yorkshire, fut d'abord connue sous le nom de chapman horse, car ce cheval servait à tirer les roulottes des marchands, *chapman* signifiant marchand. Les cleveland bay étaient surtout utilisés comme chevaux de bât pour les travaux agricoles, admirés pour leur force et leur aptitude à tirer de lourdes charges sur de grandes distances. La race doit son nom actuel à l'endroit (Cleveland)

L'extérieur du cheval exerce une influence bénéfique sur l'intérieur de l'homme.

Winston Churchill

où les animaux étaient élevés et à la couleur baie de leur robe. Plus tard, des croisements avec des pur-sang permirent d'obtenir un cheval d'attelage élégant, plus léger, le cleveland bay actuel. En revanche, le type originel a hélas disparu.

Si le cleveland bay était très populaire dans le passé, le développement du transport motorisé annonça le déclin de la race, dont la population atteignit son seuil le plus faible dans les années 1970. Il est un domaine où le succès des cleveland bay

ne s'est jamais démenti : cette race fait partie des carrossiers royaux d'Angleterre depuis le règne de George V. Le haras royal de Hampton poursuit l'élevage de ces chevaux présentés lors de cérémonies nationales.

De nos jours, le cleveland bay est utilisé en saut d'obstacles, en dressage, en concours complet, en attelage et hunting. Ce cheval au pied sûr, apprécié pour sa grande résistance, possède une grande tête au port altier, une longue encolure musclée attachée à une épaule oblique et un poitrail ample et profond. Ses membres plutôt courts sont robustes et musclés.

Les cleveland bay sont calmes et intelligents, capables de réfléchir à leurs actions. Loyaux, forts et fiables, leur endurance est devenue légendaire.

La robe est exclusivement de couleur baie, avec une queue et une crinière noires et épaisses et le bas des membres noirs, sans marque blanche. La taille moyenne de ce cheval se situe entre 1,62 m et 1,65 m.

Sa Majesté la reine Elisabeth II préside la Cleveland Bay Horse Society*, qui se consacre à la conservation de cette race britannique.*

CLYDESDALE

Cette race écossaise existerait depuis la fin du XVIIᵉ siècle. On suppose que les fermiers du Lanarkshire et les ducs de Hamilton firent venir en Angleterre des étalons flamands, ancêtres du trait belge. Les fermiers, qui étaient des éleveurs avisés, les croisèrent avec des juments locales de race lourde. Pendant une centaine d'années, on introduisit aussi du sang shire, frison et cleveland bay, pour obtenir le clydesdale, un très beau cheval de trait. La *Clydesdale Horse Society* fut créée en 1877, près d'un siècle et demi après la naissance de la race.

Très vite, le clydesdale fut apprécié pour les travaux agricoles ou pour tirer des charges sur de courtes et de longues distances. La race était présente dans la

plupart des grandes villes d'Écosse, dans le nord de l'Angleterre et de l'Irlande, ainsi que dans les régions agricoles. La popularité de ce cheval s'étendit dans le monde entier. C'est ainsi que des troupeaux entiers furent exportés vers l'Amérique du Nord, le Canada et l'Australie.

Le clydesdale est très différent des chevaux de trait habituels dont l'apparence est ordinaire. Il possède en effet une allure élégante, avec un corps compact, de longues jambes et un port de tête élevé. Comme les

Ce célèbre cheval possède des qualités remarquables liées à sa taille, son poids et sa force. Étonnamment agile pour sa taille, le clydesdale possède d'excellentes jambes et de très bons pieds.

autres types de chevaux lourds, la race commença à décliner avec le développement du transport motorisé, le creux de la vague se situant dans les années 1960 et 1970. Quelques familles continuèrent cependant l'élevage de clydesdale, dont la population est de nouveau en progression aujourd'hui.

Néanmoins, le clydesdale est encore classé parmi les races en danger par la société pour la conservation des races rares. Fin et élégant, ce cheval de trait est aujourd'hui très recherché pour le spectacle et l'attelage, par exemple pour tirer des carrosses lors de cérémonies.

Le port de tête est altier, les oreilles de longueur moyenne, droites et bien dessinées, sont toujours en alerte. Ses yeux expriment la gentillesse et l'intelligence. Les naseaux sont grands et ouverts, le profil rectiligne est légèrement convexe. L'encolure est longue et arquée, le garrot bien visible.

Le dos est court et creusé, tandis que les membres sont puissants et bien développés. Les aplombs sont verticaux, l'action des genoux est haute et le bas des jambes est garni de fanons.

Ce cheval plein de charme possède une allure énergique, intelligente et joyeuse. D'un tempérament docile, il apprécie la compagnie.

Ce très grand cheval toisant entre 1,67 m et 1,72 m (chez certains mâles) peut être bai, bai brun ou noir, avec généralement de longues balzanes tout le long des membres jusque sous le ventre.

CONNEMARA

Le poney connemara est la seule race irlandaise, qui fut vraisemblablement importée il y a 2 500 ans au moment de la colonisation de l'Irlande par les Celtes. Ce peuple de marchands commerçait beaucoup avec les ports de la Méditerranée, ce qui signifie que leurs poneys avaient du sang oriental, probablement barbe. Au Moyen Âge, ces chevaux furent croisés avec l'irish hobeye, un cheval de selle très prisé, réputé pour sa rapidité, son agilité et son endurance.

Selon la légende, la race aurait bénéficié de nouveaux apports lorsque l'*armada* espagnole coula au large des côtes irlandaises. Des chevaux ibériques auraient alors réussi à gagner la rive et se seraient par la suite accouplés avec des juments locales. Plus tard, la race fut améliorée par des apports de sang hackney, welsh cob, trait irlandais, clydesdale et pur-sang.

Le connemara doit son appellation à la région du même nom, composée il y a cent ans de la province de Connacht et du comté de Galway. (Aujourd'hui, le Connemara fait partie du comté de Galway à l'ouest de la province de Connacht.) Sur ce territoire rocheux et montagneux, la végétation est rare. Les conditions météorologiques pouvant être épouvantables, avec du vent et de la pluie venus de l'Atlantique, le connemara a dû se forger un tempérament très robuste. Ce poney agile, au pied sûr, est aussi très habile en saut.

Historiquement, il fut utilisé comme animal de trait pour le transport de tourbe et d'algues, ou de pommes de terre et de blé. De nos jours, il réussit très bien en

On voit souvent des poneys connemara à moitié sauvages en train de brouter tranquillement dans leur milieu naturel.

hunting, en concours complet, en attelage et en saut d'obstacles. Le croisement, très fréquent, avec le pur-sang produit un excellent cheval de saut.

Le connemara est un excellent poney de selle. Sa tête est raffinée, avec de petites oreilles, un profil rectiligne et des naseaux larges. L'encolure bien musclée est de longueur moyenne, les épaules sont longues et bien inclinées. Le poitrail est large et profond, le dos droit. Les jambes sont courtes, mais fortes et élégantes avec des sabots solides. Cet animal intelligent et polyvalent est calme et gentil. La robe est le plus souvent grise, mais peut être baie, noire, isabelle ou bai brun. Il mesure entre 1,28 m et 1,48 m.

DALES

Le poney dales est la seule race indigène britannique à n'avoir jamais été complètement sauvage. Il descend du poney celte et du scottish galloway, utilisé comme poney de trait dans les mines. La race bénéficia ensuite d'apport de sang frison, welsh cob et clydesdale.

Le dales est originaire des vallées (*dales* en anglais) du versant oriental de la fameuse chaîne des Pennines (la « colonne vertébrale de l'Angleterre »), qui s'étend depuis le High Peak dans le Derbyshire jusqu'aux Cheviot Hills près des Scottish Borders. On le confond souvent avec le poney fell natif du versant occidental des Pennines. Les deux races n'en formaient autrefois qu'une seule : le poney des Pennines.

Le dales était un poney de selle très apprécié, confortable à monter et assez robuste pour effectuer des travaux de trait. D'une excellente résistance, il était capable de survivre dans les vallées froides. Pouvant tirer des charrettes de plus d'une tonne, cet animal polyvalent convenait très bien aux petites fermes situées dans les collines. Utilisé aussi comme gardien de troupeaux, il pouvait parcourir de grandes distances en portant des charges de près de 80 kg, avec un cavalier sur le dos et dans la neige. Cet excellent sauteur était aussi un compagnon de chasse.

De nos jours, les poneys dales réussissent très bien dans les classes d'exhibition, le T.R.E.C. et les courses attelées.

La tête est bien faite, les yeux bien écartés sont vifs et alertes. Les oreilles sont petites et légèrement inclinées vers l'intérieur. La marque de fabrique du dales est un long toupet qui descend jusqu'au milieu du chanfrein. L'encolure assez longue et bien développée, est coiffée d'une épaisse crinière. Le poitrail est profond, les épaules sont obliques et l'arrière-main est bien

développée. Les jambes robustes sont ornées de fanons derrière les paturons.

Le dales est un poney extrêmement résistant, ses membres solides, son corps et ses pieds robustes lui permettant de porter de lourdes charges. Vigoureux et déterminé, il ne se laisse pas décourager par le mauvais temps. La robe est habituellement noire, parfois baie, bai brun, grise ou plus rarement rouanne. Une étoile ou une trace blanche

apparaît parfois sur la tête ou le boulet des membres postérieurs. Il mesure environ 1,47 m.

Agile, puissant et rapide, le dales connut un grand succès dans les courses de trot du XVIIIᵉ siècle ainsi que dans les chasses organisées. L'armée britannique utilisa des poneys dales comme animaux de bât dans l'artillerie en raison de leur endurance.

DANOIS SANG CHAUD

L'histoire du danois sang chaud commence à Holstein, qui était jusqu'au milieu du XIXᵉ siècle un territoire danois, offrant ainsi aux Danois un accès facile au cheptel allemand de chevaux à sang chaud par le biais des monastères cisterciens de Holstein. Les moines élevaient des chevaux dans l'actuel Holstein depuis le XIVᵉ siècle : ils croisèrent des poulinières de race lourde holstein avec des étalons ibériques de qualité, obtenant des chevaux polyvalents.

Le haras royal de Frederiksborg, fondé en 1 562 près de Copenhague, élevait déjà des andalous et des napolitains. Le cheptel fut métissé avec un petit danois indigène de sang froid et le jutland, cheval de trait lourd plus grand, également de sang froid. On intégra des apports de sang turc, hollandais et par la suite pur-sang. Grâce à leurs efforts, les moines obtinrent un excellent cheval polyvalent, baptisé frederiksborg. Le haras ferma en 1862, mais quelques chevaux survécurent grâce à des propriétaires privés.

Vers le milieu du XXᵉ siècle, les Danois décidèrent de créer un cheval de sport de compétition de qualité supérieure capable de rivaliser avec d'autres races européennes. Ils décidèrent de croiser leurs juments frederiksborg pur-sang avec des étalons pur-sang, anglo-normand, trakehner, wielkopolski et malopolski, donnant ainsi naissance au superbe danois sang chaud. Le hanovrien ne fut pas utilisé, ce qui est inhabituel en élevage demi-sang.

Les danois sang chaud sont les maîtres incontestés de la compétition de haut niveau, les moins doués faisant d'excellents chevaux polyvalents. Ils excellent particulièrement en dressage et en saut d'obstacles.

Le Dansk Varmblod *organise chaque année un championnat des jeunes chevaux, destiné à évaluer les poulains âgés de cinq ans nés d'étalons et de poulinières danois sang chaud. Des tests rigoureux comprennent des épreuves de dressage et de saut d'obstacles.*

La conformation du danois sang chaud est proche de la perfection. Il possède une tête noble avec de grands yeux intelligents et des oreilles assez longues et bien dessinées. Tous les éléments de son corps présentent des proportions harmonieuses, depuis sa longue encolure bien développée jusqu'aux membres de longueur idéale, raffinés et musclés. Ses allures sont fluides et son action est souple, ce qui est très apprécié en dressage. Fougueux et courageux, il est en même temps gentil et coopératif. La robe est le plus souvent baie, les marques blanches et balzanes sont permises. Il mesure autour de 1,67 m.

DARTMOOR

Il semblerait que des poneys habitaient le Dartmoor dès 2000 av. J.-C., une hypothèse confirmée par des restes retrouvés à Shaugh Moor. On trouve une première référence écrite sur le dartmoor dans le testament de Awifold of Credition, mort en 1012. La race descend du poney celte et fut métissée à d'autres races britanniques locales. Plus tard, elle bénéficia d'apports de sang roadster, welsh pony, cob, arabe et plus récemment pur-sang.

Le poney dartmoor est originaire du comté de Devon au sud-ouest de l'Angleterre. Il doit son nom à cette région de landes sauvages où il vit toujours. Situé à 305 m d'altitude, battu par les vents et la

Au Moyen Âge, les dartmoor étaient utilisés pour porter de lourdes charges en provenance des mines d'étain du Dartmoor. Lorsque les mines fermèrent, on leur rendit leur liberté.

pluie venus de la mer, le lieu est inhospitalier, parsemé de rochers et d'une végétation rare. Ce qui explique que le dartmoor est un poney extrêmement robuste, très résistant et doté d'un pied sûr.

Bien qu'ayant hérité de la robustesse de ses ancêtres indigènes, le dartmoor a besoin d'un supplément de foin pour passer l'hiver dans de bonnes conditions. Ne sachant se débrouiller seul, ce sont des fermiers qui le lui procurent. Ce fait se vérifia hélas durant la Seconde Guerre mondiale, où les poneys furent décimés à la fois à cause d'un climat terrible et par les soldats qui s'entraînaient dans la région et les abattirent pour leur viande. À la fin du conflit, il ne restait plus que deux étalons et douze juments. Depuis, l'élevage sélectif et des soins attentifs ont permis de sauvegarder la race. Utilisé en compétition d'attelage, le dartmoor est aussi une monture appréciée des enfants, car il est docile et facile à manier.

La tête est petite, avec de minuscules oreilles mobiles et un regard doux et intelligent. L'encolure de longueur moyenne est relativement développée, comme le dos, les reins et les membres. La queue est attachée haut, les jambes robustes sont bien proportionnées, les sabots sont solides et bien formés.

Chez le dartmoor, la flexion du genou est à peine perceptible, ce qui le rend très confortable sous la selle. La robe est le plus souvent baie ou bai brun, avec quelques marques blanches sur la tête et les jambes. L'animal mesure jusqu'à 1,27 m.

Il faut coller à la vie comme à un cheval.

Guy de Larigaudie

DØLE-GUDBRANDSDAL

Le døle-gudbrandsdal est originaire de la vallée de Gudbrandsdal, située entre la ville d'Oslo en Norvège et les côtes de la mer du Nord. Bien que beaucoup plus gros, il ressemble aux poneys dales et fell de Grande-Bretagne, supposés partager la même ascendance que lui, à savoir le poney celte de la préhistoire et le frison. Cette hypothèse est possible car le peuple frison commerçait en effet dans toute l'Europe, ainsi que dans les Îles Britanniques et les pays scandinaves.

Au cours des siècles, le døle fut croisé avec d'autres races, comme le trait lourd, le norfolk trotter, l'arabe et le pur-sang. Ce cheval de selle est ainsi devenu assez lourd et fort pour effectuer des travaux de halage.

Il existe aujourd'hui un autre type døle, le trotteur døle (ou trotteur sang froid), créé par croisement entre le cheval d'origine et le pur-sang. Ce cheval est utilisé en Norvège pour les courses de trot.

Le døle est l'un des plus petits chevaux à sang froid, possédant un excellent trot et une grande force de trait. L'étalon pur-sang Odin, importé en 1834, eut une influence particulièrement importante sur la race.

La population chuta à l'issue de la Seconde Guerre mondiale. Depuis 1962, des efforts ont néanmoins permis d'améliorer la qualité des chevaux. L'association d'éleveurs enregistre uniquement les étalons de conformation saine et capables de bonnes performances. La race est toujours utilisée dans les fermes et s'avère particulièrement utile dans les travaux agricoles et forestiers.

Le døle, qui est le plus petit des chevaux de trait, ressemble à un grand poney. Sa tête, petite et élégante, possède un large chanfrein, rectiligne ou légèrement convexe, et un museau carré. Ses petites oreilles sont mobiles et son regard est gentil mais curieux. L'encolure courte et arquée, est bien développée. Les épaules sont fortes, le passage de sangle est profond, le dos est long et puissant avec une arrière-main bien musclée. Les membres courts sont ornés de fanons au niveau des talons.

Le døle est une race robuste, bien adaptée à un climat rude. Capable de survivre avec peu de nourriture, il nécessite peu de soins. C'est un travailleur volontaire et docile. Habituellement baie, bai brun, alezane ou noire, la robe est parfois grise ou isabelle. Les types trotteurs ont souvent des marques blanches sur la tête et les jambes. Le døle mesure entre 1,47 m et 1,54 m.

CHEVAL DU DON

Le cheval du Don est la race la plus ancienne de Russie. Il est originaire des rigoureuses steppes russes, où il paissait autrefois en troupeaux, survivant aux hivers glacials et aux étés torrides avec pour unique nourriture une végétation rare.

Cette race est issue de croisements entre des chevaux orientaux, notamment arabes, karabakh et turkmènes. Un apport de sang orlov et pur-sang a permis d'améliorer sa conformation et de le doter d'une incroyable résistance.

Monture préférée des cosaques du Don, ce cheval fut aussi utilisé par l'armée russe. Son extrême robustesse fit de lui un excellent chasseur, notamment de loups. Aujourd'hui, sa solide constitution en fait un excellent cheval d'endurance. Il sert aussi à améliorer d'autres races.

D'emblée, ce sont sa force et sa robustesse que l'on retient. La tête est petite et bien dessinée, son profil rectiligne ou légèrement concave témoigne de son héritage arabe. Les oreilles sont petites et bien faites, les yeux grands et intelligents. L'encolure arquée est implantée haut. Le dos est relativement long, droit et large, avec des membres tombants et des épaules droites. Les jambes, en général nettes, présentent parfois des jarrets coudés. De plus, la position du bassin restreint un peu le mouvement et cause une action un peu guindée, faute qui a été toutefois largement corrigée. Les sabots sont durs et bien formés.

Énergique, robuste et résistant, le cheval du Don sert d'améliorateur pour d'autres races. Sa robe alezan doré est caractéristique, mais elle est plus souvent alezane, baie, bai brun, noire et grise. Ce cheval mesure entre 1,55 m et 1,65 m.

HOLLANDAIS À SANG CHAUD

Le hollandais à sang chaud (dutch warmblood) est une race relativement récente, son *stud-book* ayant été créé aux Pays-Bas en 1958. Très performant en saut d'obstacles et en dressage, ce cheval de compétition de haut niveau est sollicité dans le monde entier.

Le hollandais à sang chaud est différent des autres races européennes à sang chaud, car il ne s'agit pas d'une race qui existait

L'homme est la plus piètre conquête du cheval.

Jules Feller

sous une forme légèrement différente au cours des siècles précédents et que l'on aurait améliorée. Il résulte d'un assemblage de races venues de toute l'Europe. Chez le hollandais à sang chaud, on trouve du gelderlander et du groningen, plus lourd, qui sont tous deux présents aux Pays-Bas depuis le Moyen Âge. Ces races sont elles-mêmes issues de plusieurs lignées européennes, le gelderlander étant un

mélange entre autres d'andalou, de normand, d'oldenbourg, de hackney et de pur-sang. Le groningen fut créé à partir de frison et d'oldenbourg choisis pour la qualité de leurs allures, leur conformation correcte, et leur forte présence. La gentillesse et l'enthousiasme ainsi qu'une dose de robustesse furent des caractéristiques qui pesèrent également dans le choix.

Initialement, le hollandais à sang chaud fut créé à partir de juments gelderlander et groningen. L'apport ultérieur de pur-sang servit à corriger des défauts résiduels de

conformation. Le cheval obtenu étant un peu instable, on fit appel à du sang hanovrien et selle français pour corriger son tempérament.

Le hollandais à sang chaud est plus léger que de nombreux autres chevaux à sang chaud. La jolie tête est séduisante,

*Le type de hollandais à sang chaud le plus important et le plus célèbre est le type cheval de selle (*rijpaardtype*), un élégant cheval de sport élevé pour ses qualités d'athlète, son caractère et sa santé.*

*Le type cheval d'attelage (*tuigpaardtype*) est un cheval aux allures très relevées voire extravagantes, destiné aux courses d'attelage.*

ses grands yeux reflètent une expression vive et intelligente, ses oreilles de taille moyenne sont bien dressées. L'encolure est bien implantée, longue et musclée. Le garrot est saillant, le dos court et droit, l'arrière-main puissante avec une croupe légèrement inclinée et une queue portée haute. Les épaules sont obliques, les jambes longues et bien développées avec des sabots durs et bien dessinés.

Ses allures souples et extravagantes font de cet athlète un excellent cheval de dressage et de saut d'obstacles. Son attitude sensible dans le travail lui permet d'ajouter une touche d'éclat qui magnifie son action. De nature paisible, son action fluide est très confortable à la monte.

La robe est souvent baie, alezane ou grise, le noir est également possible. La taille est comprise entre 1,65 m et 1,75 m.

EXMOOR

L'exmoor est une race très ancienne, qui remonterait à un type de poney préhistorique antérieur à l'ère glaciaire et dont on a retrouvé des ossements fossiles en Alaska. La position isolée de l'Exmoor, situé aux confins des comtés de Devon et de Somerset en Angleterre, empêcha les croisements et permit à la race de demeurer l'une des plus pures au monde. Son proche cousin le dartmoor, plus accessible aux influences extérieures, a au contraire subi de nombreuses évolutions.

L'exmoor est un véritable poney sauvage qui vit encore dans la lande. Considéré comme une race rare, avec seulement 1 000 spécimens, il est aujourd'hui surveillé de près. Il reste environ 300 juments

L'exmoor est un survivant rare et unique. Il vit dans la lande quasiment sans contact avec l'homme, sauf pour le marquage annuel des poulains.

reproductrices au Royaume-Uni, donnant naissance à 300 poulains par an. La moitié de ces juments vivent toujours dans l'Exmoor et pour protéger la pureté de la race, chaque poulain est inspecté, marqué sur le flanc et numéroté à l'épaule.

Plusieurs fermes de la région, impliquées dans l'élevage de poneys exmoor, ont permis d'éclaircir un peu l'avenir de la race. Des élevages d'exmoor existent aujourd'hui ailleurs qu'en Grande-Bretagne, mais les poneys des landes continuent d'être utilisés comme fondateurs du cheptel pour assurer la pureté de la race.

L'exmoor possède une grande tête, un front large et de très beaux yeux dits « de grenouille », qui les protègent des éléments. Les oreilles sont courtes et épaisses, le profil est rectiligne. L'encolure est épaisse et bien développée, avec un poitrail profond. Les jambes courtes et sèches sont néanmoins musclées, avec quelques fanons autour du boulet. Les sabots sont petits et durs. La robe est dense avec une crinière et une queue épaisses et drues.

L'exmoor est extrêmement résistant et peut vivre dehors toute l'année. Pour être domestiqués, les sujets doivent être capturés et domptés jeunes. Ils se révèlent alors d'un tempérament docile, enthousiaste et obéissant, faisant des montures idéales pour les enfants.

La robe peut être baie, bai brun ou isabelle avec des taches noires. Elle n'est jamais blanche, mais des marques de farine sont présentes autour des yeux, du museau et des flancs. Les juments n'excèdent pas 1,27 m et les étalons 1,29 m.

FELL

Le fell est un proche parent du poney dales. Il est aussi plus petit et d'un sang plus pur. Originaire du versant occidental des Pennines, les collines et les montagnes du nord-est de l'Angleterre, il descend du poney celte, qui vivait jadis au nord de l'Europe et que les Romains utilisaient entre autres comme animal de trait. Plus tard, les *border reivers*, des pillards de la frontière anglo-écossaise, employèrent des poneys fell car ils avaient la réputation d'avoir le pied sûr et d'être endurants.

Les vikings utilisaient ces poneys pour labourer et tirer les traîneaux, les Normands pour garder les troupeaux. Au XIIIᵉ siècle en Belgique, les poneys fell servaient au halage dans l'industrie florissante de la laine.

Le fell servit aussi comme poney de bât dans l'industrie minière du plomb. Les moines cisterciens introduisirent dans leurs élevages des poneys gris pour indiquer leur appartenance au monastère.

Au fil des ans, à l'instar du dales, la race fut améliorée par l'apport de frison auquel le fell ressemble beaucoup d'ailleurs. Il est cependant demeuré plus pur que le dales, sujet à d'autres croisements.

Comme de nombreuses races locales, la population du fell déclina pendant et après les deux guerres mondiales, lorsque les fermiers s'équipèrent de machines et passèrent au transport motorisé. Le fell conserva cependant une certaine popularité et sa reconversion en tant que poney de selle et d'attelage fut heureuse. Aujourd'hui, le fell est un poney polyvalent et familial, assez fort pour porter un adulte et suffisamment docile pour être monté par des enfants. Excellent poney de randonnée, il est apprécié par l'industrie du tourisme. Il est aussi utilisé en attelage et occasionnellement comme gardien de troupeaux.

Le fell ressemble beaucoup au frison. la tête est noble, avec un front large et un profil rectiligne ou légèrement convexe, un museau pointu et des naseaux largement ouverts. L'expression du regard est fière et intelligente, les oreilles sont petites et bien dessinées. La tête est bien implantée sur l'encolure, qui est de longueur moyenne. Les épaules sont obliques et bien musclées, assurant une action lisse. Le corps est robuste avec un dos puissant et un poitrail profond. Les jambes sont fortes et musclées, avec de petits fanons sur l'arrière. les sabots sont bien formés et d'une couleur bleue caractéristique. La crinière et la queue ne doivent pas être tressées, mais laissées libres.

Le poney fell possède une excellente constitution et comme la plupart des poneys de montagne et de lande, il est robuste et capable de vivre toute l'année dehors. Il est facile à vivre et apprécie la compagnie de l'homme. Il est toutefois indépendant et parfois obstiné. Le poney fell est réputé pour ses excellentes allures, qui le rendent confortable à la monte. Il excelle dans les disciplines d'endurance, pouvant être rapide à l'occasion, ce qui est un atout en attelage.

La robe est généralement d'un noir pur, sans marque blanche, mais le bai, le gris et le bai brun sont également possibles. Une petite étoile en tête ou de légères balzanes sont tolérées. Il mesure environ 1,42 m.

La façon de courir du poney fell étant fidèle à son type, il est facile de trouver des paires en attelage.

FJORD

Le fjord norvégien descend probablement du cheval de Przewalski ou cheval sauvage d'Asie, dont les ancêtres sont les chevaux préhistoriques de l'ère glaciaire. Il semble avoir conservé de nombreuses caractéristiques de ses lointains ascendants, comme la robe claire, la raie de mulet et les zébrures horizontales sur les membres présentes chez certains individus, qui sont des marques primitives typiques.

Pendant plusieurs siècles, cette race primitive fut améliorée par des croisements avec le poney celte et le tarpan. Le modèle de poney qui en résulta fut utilisé pendant plusieurs milliers d'années. Des objets vikings témoignent de l'utilisation de ces animaux au cours de leurs batailles. Les Vikings avaient une approche particulièrement sanguinaire de la sélection : ils laissaient les étalons se

battre à mort pour s'assurer que seuls les spécimens les plus forts perpétueraient la race.

Depuis l'époque viking, le fjord a la crinière taillée en brosse, ce qui accentue. d'ailleurs son aspect inhabituel : elle est en effet bicolore, traversée par une raie de mulet qui prend naissance entre les oreilles, se prolonge le long de la colonne vertébrale et se termine dans les crins de la queue.

Le fjord a servi à améliorer de nombreuses autres races d'Europe du Nord, comme le poney islandais ou le poney highland. Il est aujourd'hui répandu dans tous les pays scandinaves, utilisé comme monture pour les enfants. Ayant le pied sûr, il excelle en randonnée ainsi que dans les disciplines associées (T.R.E.C., endurance). Il réussit également très bien dans les courses d'attelage. Certains travaillent encore à la ferme comme chevaux de labour ou de bât.

En Norvège, le fjord, dont l'élevage est entièrement contrôlé par le gouvernement, est un symbole national. Il a été importé dans de nombreux pays dont une dizaine (notamment la France) ont des associations officiellement reconnues avec des stud-books.

Le fjord a une jolie tête, large et courte avec des oreilles bien dessinées, un profil légèrement concave et de larges naseaux. Il a de grands yeux gentils, son encolure est courte et épaisse, accentuée par sa crinière en brosse. Son corps est robuste, avec des membres obliques et une queue portée basse. Ses jambes fortes sont osseuses et ses pieds durs et solides.

La robe claire est souvent isabelle, avec des nuances variées. Elle est toujours marquée d'une raie de mulet, parfois de zébrures horizontales sur les membres. Le fjord mesure entre 1,39 m et 1,47 m.

TROTTEUR FRANÇAIS

C'est en 1836 à Cherbourg que se déroulèrent les premières courses de trot sur une véritable piste en France. Elles avaient pour but de sélectionner les meilleurs étalons, avant de devenir des événements à part entière. À l'époque, les meilleurs trotteurs étaient des normands et des anglo-normands. Ils furent croisés avec le trotteur anglais du Norfolk (roadster), puis la race fut améliorée vers la fin du XIXᵉ siècle par des apports de sang hackney anglais, trotteur d'Orlov russe et pur-sang anglais. Ces races contribuèrent à créer un trotteur apprécié et respecté, qui bénéficia pour finir d'un apport ultérieur de trotteur américain.

Bien que la race ne fut reconnue qu'en 1922, un *stud-book* fut créé dès 1906. Pour prétendre à l'inscription, un cheval devait être capable de couvrir 1 km de trot en 1 minute et 42 secondes. En 1941, l'accès fut restreint aux chevaux dont les deux parents étaient enregistrés, afin d'assurer la pureté de la race. Au cours de ces dernières années, on eut cependant recours à un apport de sang trotteur américain pour améliorer la race et ses allures. Le trotteur français est aujourd'hui l'un des meilleurs trotteurs du monde, différent cependant du trotteur américain qui lui, est ambleur.

Aujourd'hui, le trotteur français est presque exclusivement élevé pour les courses de trot attelées ou montées. En plus d'être naturellement doué pour le saut, il fait aussi un bon cheval de selle, qui fut utilisé aussi pour améliorer des races de chevaux de compétition comme le selle français.

L'ascendance du pur-sang est évidente chez le trotteur français, dont la tête est noble et le front large. Les oreilles de longueur moyenne sont bien écartées, les yeux doux et intelligents. Les naseaux sont larges et bien ouverts. L'encolure est longue et bien développée, l'épaule est droite, le poitrail profond, et les membres puissants. Les jambes sont musclées, avec de bons os et les sabots sont bien formés.

Le trotteur français possède toutes les grandes qualités du pur-sang : variation de vitesse, résistance, tempérament docile et stable, énergie. Les trotteurs attelés sont généralement plus petits que les trotteurs montés. Comme chez le pur-sang, toutes les couleurs unies sont possibles, mais l'alezan, le bai et le bai brun sont les plus courantes. Le rouan, le noir et plus rarement le gris apparaissent parfois. Le cheval toise 1,65 m en moyenne.

Le trotteur français est principalement élevé en Normandie, où les éleveurs ne disposent en général que de deux ou trois poulinières. Souvent, ils élèvent, éduquent et entraînent eux-mêmes leurs chevaux.

FRISON

Le frison est la seule race néerlandaise indigène à avoir survécu. Il descend d'une race locale qui occupait la Frise il y a 3 000 ans. Des ossements d'un cheval à sang froid du même type furent retrouvés dans cette région. L'histoire du frison est ancienne et l'on sait que les soldats romains l'employèrent pour la construction du mur d'Hadrien vers 150 av. J.-C. Des troupes de mercenaires originaires de la Frise et au service de Rome, furent envoyées en Angleterre avec leurs chevaux. C'est ainsi

La vue de ce petit cheval m'impressionna d'une manière que je ne puis très bien expliquer. Il était plus qu'exceptionnellement fort, rapide et superbe dans sa façon de se mouvoir, il me faisait rêver.

Walt Morey

que le frison contribua à la création des poneys fell et dales, originaires de la chaîne des Pennines. Du sang frison coule également dans les veines du trotteur d'orlov et chez la plupart des trotteurs américains.

Au fil des ans, la race d'origine, plutôt lourde et quelconque, bénéficia d'apport de sang oriental et andalou. Nettement améliorée, la race frison rivalisait même avec les chevaux ibériques dans les disciplines de haute école au XVII\ siècle. Très élégant,

L'une des caractéristiques du frison est la longueur de sa queue et de sa crinière. En exhibition, celles-ci ne sont pas taillées et touchent souvent le sol.

121

le frison fut très demandé comme cheval d'attelage et d'équipage de grande classe. Au cours du XIXe siècle, la population se fit rare, presque uniquement cantonnée dans la région de la Frise, où l'animal était utilisé comme cheval de selle ou comme trotteur. À la fin de la Première Guerre mondiale, la race, dont les effectifs se réduisaient à trois étalons et quelques juments, était en danger d'extinction. Un élevage sélectif ainsi que des infusions de sang oldenbourg permirent heureusement de restaurer la race. Le frison est présent dans le monde entier, admiré pour son port altier, son trot spectaculaire sous le harnais. La race est de nouveau utilisée dans les disciplines de haute école.

Sa tête pleine de noblesse comporte des petites oreilles expressives, légèrement incurvées vers l'intérieur. Le regard est

Sur sa terre natale, le frison était traditionnellement un cheval de travail, également très populaire lors de festivals ou de compétitions attelées.

doux et intelligent, le port de tête est élevé et élégant, l'encolure fortement arquée est de longueur moyenne. Le garrot est bien développé, les épaules sont inclinées. Le dos de longueur moyenne est fort et droit, les reins et les membres sont bien développés. Les jambes nettes et fortes, portent de légers fanons. La crinière et la queue, longues et abondantes, ne doivent être ni taillées ni tressées en exhibition. Malgré son allure fière, le frison est un animal gentil, très maniable et énergique. La robe est uniquement noire et seule une minuscule étoile est admise sur le front. La taille est comprise entre 1,57 m et 1,62 m.

FURIOSO

Cette race hongroise n'existe que depuis 150 ans. Elle fut créée par le célèbre haras de Mezöhegyes en Hongrie, fondé en 1 785 par l'empereur Joseph II de Habsbourg. C'est là que fut aussi développé le nonius.

En 1840, le haras fit venir un pur-sang nommé Furioso, puis un autre en 1843, North Star, qui était un norfolk roadster. Ils furent tous les deux accouplés avec des juments nonius et arabes pour produire deux races très distinctes, le furioso et le north star. Vers 1885, les deux races qui avaient été croisées, n'en formaient plus qu'une seule, le type furioso étant dominant.

Aujourd'hui utilisé comme un cheval de selle polyvalent, le furioso est aussi un excellent sauteur dont l'incroyable résistance lui permet d'être un steeplechaser de haut niveau.

Le furioso est un cheval de grande qualité, qui possède tous les attributs de ses ancêtres pur-sang. La tête est élégante avec un profil rectiligne et un museau plutôt carré. Les oreilles bien dessinées sont de longueur moyenne, les yeux expriment le courage et la curiosité. L'encolure est longue et élégante, avec des épaules obliques. Le passage de sangle est profond, les jambes sont longues et fortes. Les membres sont bien développés, le port de queue est élevé.

La bonne élévation de son genou, typique des carrossiers, est héritée de ses ancêtres nonius. Le furioso fait un élégant cheval d'attelage, docile et courageux comme le pur-sang.

Le furioso est généralement bai brun, noir ou bai, avec très peu de marques blanches. La taille moyenne se situe autour de 1,64 m.

Pendant la Seconde Guerre mondiale, l'élevage de furioso de Mezöhegyes fut détruit. La race fut reconstituée à partir de spécimens retrouvés dans la campagne hongroise. Avec la Hongrie et la Roumanie, la Bulgarie et l'ex-Yougoslavie élèvent aussi des chevaux furioso.

GELDERLANDER

Le gelderlander, ou gelderland, est un cheval à sang chaud originaire de la province de la Gueldre (*Gelderland* en néerlandais) aux Pays-Bas. La race fut créée par des fermiers hollandais qui avaient

besoin d'un cheval de travail polyvalent pour leur propre usage, ainsi que d'un cheval de selle ou d'attelage dont ils pourraient tirer un bon prix.

Ils croisèrent des juments lourdes locales avec des étalons andalous, napolitains, normands, norfolk roadster et holstein pour

Le gelderlander est le produit de plusieurs années d'élevage sélectif. La race étant un mélange de plusieurs lignées, il est intéressant de souligner que des méthodes rigoureuses de sélection ont permis de supprimer les caractéristiques indésirables.

125

produire un cheval bien bâti. Au XIXᵉ siècle, la race fut encore améliorée par un apport de frison oriental, d'oldenbourg, de hackney et de pur-sang.

Avec l'évolution de la mécanisation dans les années 1960 et 1970, rendant le cheval de travail inutile, on décida de transformer le gelderlander en un cheval de selle plus léger. C'est aujourd'hui un excellent cheval polyvalent, avec un indéniable talent pour le saut d'obstacles, qui a vraisemblablement hérité son action très relevée de ses ancêtres trotteurs.

Le gelderlander est un réservoir génétique pour les chevaux modernes à sang chaud, notamment le hollandais sang chaud dont la race fut reconnue à la fin des années 1950. Il n'existe aujourd'hui que très peu de gelderlander, le hollandais sang chaud lui ayant volé la vedette. Un certain nombre d'éleveurs s'efforcent pourtant de conserver cette ancienne race.

Le gelderlander a une tête bien proportionnée, avec un profil légèrement convexe. Les oreilles de longueur moyenne sont mobiles et bien faites, le regard est doux. L'encolure est relativement longue et musclée, un peu arquée. Le garrot est saillant, le dos long et droit, la croupe est courte et le port de queue élevé. Le passage de sangle est profond, les épaules sont longues et obliques, les jambes fortes et musclées, les sabots solides.

Le gelderlander est doté d'un tempérament doux et accommodant. La robe est généralement alezane, mais peut être aussi noire, baie et grise. Les marques en tête et les balzanes sont assez étendues. Il mesure entre 1,57 m et 1,67 m.

Selon la façon de monter à cheval, on est un cavalier ou un garçon d'écurie.

Cervantès

GIARA

Le giara (ou cheval de la Giara), poney robuste et agile, vit à l'état sauvage sur le plateau de la Giara de Gesturi en Sardaigne, à environ 600 m d'altitude et à une heure de route de la ville d'Oristano.

Le giara existe depuis l'âge du bronze où il était alors répandu dans toute l'île. Quelques-uns furent domestiqués, les autres restèrent sauvages, s'installant en sécurité sur les hauteurs loin de tout prédateur naturel.

Les conditions rudes de leur environnement influencèrent fortement le caractère et la conformation de ces animaux.

Il n'y a pas de mauvais chevaux, il n'y a que de mauvais cavaliers.

Dicton

Ils vivent aujourd'hui en petits troupeaux d'une vingtaine d'individus, constitués d'un étalon et de juments, de chevaux plus jeunes et de poulains. Lorsque les jeunes étalons ont atteint leur maturité, ils quittent le troupeau pour fonder leur propre groupe.

À l'état sauvage, le giara est farouche, hargneux et méfiant envers l'homme. Domestiqué, il peut être monté par les enfants et devenir un bon poney de sport.

La tête carrée possède une large mâchoire. Le profil est compact, avec un front large, de grands yeux vifs et de petites oreilles dressées. L'encolure est courte, ornée d'une épaisse crinière. Les épaules sont droites, fortes et bien musclées, les jambes courtes et fortes et les sabots solides.

La robe est généralement noire ou baie. Le giara mesure autour de 1,27 m.

Le plateau où vivent ces célèbres poneys sauvages est inscrit au patrimoine mondial de l'UNESCO.

GRONINGEN

Le groningen fut d'une importance capitale dans l'élevage de races modernes à sang chaud aux Pays-Bas. Le prototype était une ancienne race hollandaise originaire de la province de Groningen au nord-est du pays. Il s'agissait à la fois d'un cheval de selle lourd et d'un cheval de travail polyvalent.

La race fut obtenue par croisement entre des étalons frison oriental et oldenbourg avec des juments locales. Comme il fallait un cheval plus lourd pour labourer le terrain très lourd de la région, on introduisit des étalons suffolk punch et norfolk roadster pour faire du groningen un animal plus substantiel que son proche voisin le gelderlander, qui habitait une région où le sol était plus léger.

Ces deux races de chevaux sont les piliers fondateurs d'une race aujourd'hui célèbre dans le monde entier, le hollandais sang chaud. Cette nouvelle race, excellente en saut d'obstacles, a hérité des membres puissants et bien développés du groningen. Avec le gelderlander, il fait aujourd'hui partie des races rares.

Le groningen possède une longue tête assez quelconque, de longues oreilles et une expression docile. L'encolure de taille moyenne est bien développée et le garrot saillant. Le dos est long, la croupe aplatie et la queue est attachée haut. Les membres sont très musclés. Le passage de sangle est profond, les jambes bien osseuses sont courtes et fortes. Les sabots sont bien formés.

Le groningen est doté d'un caractère docile et accommodant. Ses principales qualités, qu'il a transmises au hollandais sang chaud, sont la force, la résistance et la puissance. La robe est principalement noire, bai brun ou baie. Sa taille moyenne est comprise entre 1,60 m et 1,65 m.

Après 1945, les éleveurs, pressés par la demande, produisirent un animal plus compact, avec une plus grande liberté de mouvement et donc plus polyvalent. L'ancien type groningen est devenu un objet rare.

GYPSY VANNER

Les origines du gypsy vanner, ou cob irlandais (ou irish cob), sont liées aux *gypsies* ou *travelers* des Îles Britanniques, ces paysans irlandais expulsés des fermes lors de la grande famine de 1 874. Bien que la relation entre les *gypsies* et leurs chevaux soit ancienne, le cob irlandais, traditionnellement coloré, était considéré comme un type et non comme une race. Celle-ci ne fut reconnue et enregistrée qu'en 1996.

Croisé avec le frison, le shire, le poney dales et le clydesdale, c'est aujourd'hui un cheval lourd, dont la taille et l'apparence peuvent varier.

Le cob irlandais est un cheval ou poney robuste et compact. Il doit avoir une « tête mignonne », ce qui signifie en proportion

Gypsy vanner est l'appellation américaine du cob irlandais ou irish cob, également connu en Europe sous le nom de cheval piebald, autrefois nommé tinker.

avec le reste du corps. Sa crinière est abondante ainsi que les fanons qui ornent ses jambes. Le poitrail est large, le garrot arrondi. Il possède une ossature importante, une forte masse musculaire, un corps puissant et carré avec des membres épais.

Réputé pour son extrême docilité, il est aussi intelligent et athlétique. Il a hérité de ses ancêtres voyageurs une bonne santé physique et mentale. La robe pie n'est qu'une des couleurs parmi toutes celles qui existent. Sa taille moyenne est comprise entre 1,42 m et 1,57 m.

L'or des gitans ne brille ni ne tinte. Il luit dans le soleil et hennit dans l'obscurité.

Dicton des gitans Claddagh de Galway, Irlande

HACKNEY

La race hackney apparut au XVIIIᵉ siècle dans le Norfolk et le Yorkshire en Angleterre, où les fermiers qui l'utilisaient appréciaient la résistance des chevaux. Plus tard, le hackney fut utilisé en sport hippique, notamment dans les courses de trot attelées et montées. Il était en effet capable d'atteindre des vitesses incroyables : la jument Nonpareil aurait parcouru 160 km au trot en un peu moins de 10 heures. Mais c'est surtout comme élégant carrossier que le hackney est célèbre. Jusqu'aux années 1920, il était ainsi indispensable, avant d'être progressivement remplacé par l'automobile.

Le hackney doit sa capacité à trotter à son ascendance : les pères fondateurs de la race sont probablement les trotteurs du Norfolk et du Yorkshire, croisés avec du sang pur-sang et arabe pour en améliorer les performances. Les poneys hackney descendent aussi des trotteurs anglais et des poneys fell et welsh. Chevaux et poneys hackney disposent chacun d'un *stud-book*, ouvert en 1 883.

Le hackney est aujourd'hui sous-exploité. Il n'apparaît souvent que lors de spectacles où l'on peut admirer ses allures extraordinaires, attelé à de petites voitures anciennes. Il participe depuis peu à des compétitions attelées ainsi qu'à des épreuves de dressage, de concours complet et de saut d'obstacles. Il sert de réservoir génétique pour améliorer des chevaux de sport modernes.

Le hackney possède un port de tête élevé et altier. Ses jolies oreilles sont mobiles, ses yeux intelligents tandis que son profil est rectiligne ou légèrement convexe. L'encolure est longue, fortement arquée et bien développée. Les épaules sont obliques, les membres forts et puissants et les jambes robustes.

Le hackney est un animal fougueux qui ne convient pas aux cavaliers débutants. Sa résistance énorme lui permet de trotter pendant plusieurs kilomètres sans se fatiguer. Son trot est spectaculaire : les antérieurs montent très haut, genoux fléchis, puis sont projetés vers l'avant en complète extension en partant de l'épaule.

La robe est bai, bai brun ou noire, parfois alezane ou rouanne, avec des marques blanches en tête. Le poney hackney ne dépasse pas 1,42 m et le cheval 1,60 m.

Le hackney compte aujourd'hui parmi les espèces menacées. Il ne reste plus que 2 500 chevaux dans le monde.

HAFLINGER

L'histoire du haflinger est obscure et il existe plusieurs hypothèses sur ses véritables origines. Il serait né dans le Tyrol du Sud en Autriche, près de la frontière italienne. Les frontières ayant néanmoins changé plusieurs fois dans cette région, il serait impossible de définir l'endroit avec exactitude. Le haflinger est assez proche de l'avelignese, un cheval plus léger originaire du versant italien des Alpes. On pense que les deux races ont une ascendance commune.

Il se peut que le haflinger résulte du croisement entre des juments locales et des

étalons orientaux, laissés derrière eux par les ostrogoths repoussés au nord par les Byzantins au VIe siècle apr. J.-C. Selon une autre version, le roi Louis IV d'Allemagne aurait offert comme cadeau de noce à son fils un étalon bourguignon qui se serait accouplé à des juments d'origine orientale, donnant naissance à la race haflinger. Le sang oriental est en tout cas présent dans toutes les hypothèses.

Ce qui est certain, c'est que la race haflinger moderne fut améliorée en 1868 :

Monter un cheval vous donne un goût de liberté.

Helen Thomson

l'étalon arabe El-Bedavi XXII, importé dans la région, couvrit plusieurs juments haflinger mares. Aujourd'hui, tous les haflingers sont apparentés à cet étalon.

De nos jours le haflinger est toujours présent en Autriche où son élevage est très contrôlé, non seulement par le gouvernement qui organise des programmes d'élevage, mais aussi par des éleveurs privés. La race, connue dans le monde entier, notamment en Europe, est utilisée dans les forêts et les fermes du Tyrol. Les chevaux peuvent être attelés, ou servir de monture aux enfants ou encore d'animaux domestiques.

L'influence arabe est évidente chez le haflinger dont la tête élégante contraste avec son corps robuste. Le profil est légèrement concave, ses grands yeux sont attentifs. Les oreilles sont petites et alertes, les naseaux et le museau sont bien dessinés. L'encolure est bien proportionnée, avec des obliques bien obliques, et un passage de sangle profond. Le corps est large et fort, avec des membres musclés et une queue attachée haut. Les jambes sont de longueur moyenne avec de solides sabots.

Le haflinger est un animal sociable qui aime la compagnie de l'homme. Fiable,

intelligent et docile, c'est un excellent poney de travail, très sûr pour les enfants. Il se contente de peu de nourriture, mais a besoin d'un toit à l'abri du vent et de l'humidité. La crinière et la queue crins lavés sont laissées naturelles.

Différentes nuances d'alezan, de brun et de rouge sont tolérées, truitées sur les zones plus claires. En revanche, les taches blanches sont proscrites. La taille moyenne est de 1,42 m.

Le haflinger séduit par sa polyvalence.

HANOVRIEN

On peut retracer la longue histoire de ce cheval allemand depuis le VIIIᵉ siècle : le cheval est alors un destrier avec lequel Charles Martel repousse les sarrasins lors de la bataille de Poitiers. Ce lourd cheval de guerre était probablement un mélange de sang local, ibérique et oriental.

Le hanovrien évolue en même temps que la guerre. Au Moyen Âge, il est devenu un grand cheval massif, capable de porter un chevalier en armure. Ce type fut très recherché pendant plusieurs siècles, jusqu'à ce que la transformation des techniques guerrières exige un cheval plus léger. À l'époque, le hanovrien était encore une race lourde, bien qu'étant un peu plus grand et plus agile que le type cob. Au XVIIᵉ siècle, trois types distincts étaient élevés pour l'usage militaire : le hanovrien, le mecklembourg et le danois.

Au XVIIIᵉ siècle, l'histoire tourna en faveur du cheval hanovrien. Le prince Georges Louis, électeur de Hanovre, accéda en effet au trône d'Angleterre sous le nom de George Iᵉʳ en 1 714. Il effectua la plupart de son règne à Hanovre, si bien que les chevaux de race hanovrien bénéficièrent d'attention constante pendant plus d'un siècle. Des étalons pur-sang furent croisés avec des juments hanovrien. Un apport de cleveland bay permit de produire un cheval qui restait relativement lourd, adapté aux travaux agricoles et possédant aussi toutes les qualités d'un carrossier.

Le hanovrien compte parmi les rares races dont les origines peuvent être aussi bien retracées. Les éleveurs purent ainsi remonter sur plusieurs générations et améliorer leurs chances de trouver les couples les plus parfaits.

Le roi George II fonda le haras national de Celle en 1735, où les chevaux étaient élevés pour l'agriculture, la selle et l'attelage. La race fut améliorée par l'apport de sang trakehner et pur-sang. Un registre d'élevage fut créé en 1 888.

Le cheval d'alors était très proche du célèbre cheval de compétition que nous connaissons aujourd'hui. Sans doute le plus célèbre de tous les chevaux à sang chaud, le

hanovrien moderne excelle en dressage de haut niveau ainsi qu'en saut d'obstacles. L'élevage allemand, placé sous l'égide de la société des éleveurs du cheval hanovrien, veille à la pureté de la race. Environ 160 hanovriens, en majorité des étalons, sont propriété de l'État et élevés à Celle. Ils sont soumis à des tests qui évaluent leur santé, leur conformation et leur caractère avant d'être déclarés aptes à la reproduction.

En France, l'association des éleveurs hanovriens est reconnue par l'État depuis 2007.

Le hanovrien a joué un rôle important dans l'amélioration et la formation d'autres races à sang chaud, comme le westphalien, le mecklembourg et le brandebourgeois. Il existe aujourd'hui deux types de hanovriens : les chevaux plus lourds sont

utilisés en saut d'obstacles, tandis que les plus légers, qui possèdent une plus grande proportion de pur-sang, sont orientés vers le dressage.

La conformation du hanovrien est proche de la perfection. On y décèle immédiatement les traits du pur-sang. La tête de longueur moyenne, présente un profil rectiligne avec des yeux vifs et gentils et des oreilles dressées. L'encolure, gracieusement arquée, est longue et musclée, le poitrail est bien développé, les épaules sont obliques. Le dos est de longueur moyenne, avec une croupe musclée et des membres puissants. Les jambes sont fortes, avec de larges jointures, le pied est bien formé.

Chez le hanovrien, le tempérament compte parmi les points les plus importants : seuls les étalons dont l'humeur est stable sont déclarés aptes à la reproduction. Noble et fier, son action fluide lui permet d'exceller en dressage avancé. Toutes les couleurs unies de robe sont permises, associées souvent à des marques blanches sur la tête et des balzanes. La taille moyenne se situe entre 1,57 m et 1,72 m.

HIGHLAND

Comme toutes les races locales écossaises, le highland a une histoire très ancienne, comme l'indique sa raie de mulet. Il est issu du poney celte, qui s'est croisé au cours des siècles avec le galloway (aujourd'hui disparu) et différentes races européennes comme le percheron, le cheval ibérique, le barbe et le clydesdale. Au XIX⁰ siècle, il est marqué par l'influence arabe qui lui a donné les standards actuels.

Comme son nom l'indique, ce poney vit dans les Highlands et des variétés plus petites peuplent les îles situées à l'ouest.

Il partage depuis toujours le quotidien des fermiers écossais qui l'utilisent en agriculture, sylviculture et pour le transport. Sa nature docile en fait un bon poney de selle, son pied sûr étant un atout. Il fut aussi utilisé pendant la guerre des Boers et la Première Guerre mondiale.

Bien qu'il existe un *stud-book* pour le poney highland depuis 1880, il n'y a pas de standard de race et l'on observe ainsi une grande diversité de types et de lignées. Néanmoins, les étalons comportant des marques blanches, à l'exception d'une minuscule étoile en tête, ne sont pas enregistrés. Le highland est présent dans le

Le poney highland habite le nord de l'Écosse depuis des siècles, où il est utilisé en agriculture et plus récemment pour la chasse et l'attelage. La Société du poney highland fut fondée en 1923.

monde entier et des haras existent en Europe, en Australie, aux États-Unis et au Canada.

Avec l'apparition de la randonnée de poneys dans les années 1950, la popularité du highland fit un bond car en plus d'être robuste et agile, il peut facilement porter une charge jusqu'à 95 kg et être monté par un enfant comme un adulte. De nos jours,

le highland participe à de nombreuses épreuves équestres pour enfants, comme le saut, le cross-country, les jeux de *pony games*, les disciplines d'endurance, l'attelage et les exhibitions.

Le highland est un poney trapu et bien bâti. Il a une jolie petite tête avec un profil rectiligne, de petites oreilles dressées et de grands yeux gentils. Son encolure est plutôt longue et bien développée, l'épaule est nette, le passage de sangle profond et le dos bien musclé. Les jambes robustes sont terminées par des pieds durs et bien faits. La crinière et la queue, épaisses et soyeuses, ne sont pas taillées.

Le highland a un caractère aimable et constant et est coopératif. Bien qu'étant robuste et capable de vivre à l'extérieur par tous les temps, il a besoin d'un supplément de nourriture.

La robe peut être de toutes les couleurs unies, comme le gris et toute une palette de nuances allant du roux au crème, en passant par le doré, le jaune et le souris. La taille peut atteindre 1,47 m.

HOLSTEIN

Le holstein allemand descend probablement du cheval des marais, une race locale qui peuplait l'estuaire de l'Elbe dans l'actuel Schleswig-Holstein. Les origines du holstein remontent au XIIIe siècle : Gérard Ier, comte de Holstein et de Storman, autorisa les moines du monastère d'Uetersen de laisser paître sur ses terres les chevaux de qualité qu'ils élevaient eux-mêmes. Le cheptel local avait été croisé avec des chevaux de sang andalou, napolitain et oriental pour produire une race de cheval lourd que les fermiers appréciaient pour sa force et sa fiabilité. Les militaires utilisaient le cheval pour son courage, sa résistance et ses aptitudes.

Le cheval est un cadeau de Dieu à l'homme.

Proverbe arabe

Il fut aussi employé en tant que carrossier. Après la Réforme, les terres du monastère furent restituées à leurs propriétaires, qui poursuivirent l'élevage des chevaux.

En 1686, le holstein jouissait d'un tel respect que l'on fixa des règles strictes pour protéger et améliorer la race qui était alors répandue dans toute l'Europe. Au XVIIIe siècle, la renommée du holstein était telle qu'un grand nombre de chevaux furent importés. Mais les standards fixés ne furent pas toujours respectés, ce qui entraîna une détérioration de la race.

Au XIXe siècle, des mesures furent heureusement adoptées pour sauver et améliorer la race. La demande en destriers étant moins importante, on décida de faire du holstein un carrossier de grande qualité. À cette fin, des étalons carrossier du Yorkshire (*Yorkshire coach horse*) et cleveland bay furent accouplés à des juments holstein. Ce fut une véritable réussite, qui procura à la race un second souffle.

Après la Seconde Guerre mondiale, un apport de sang pur-sang permit d'améliorer les performances de saut du holstein et son apparence générale. C'est aujourd'hui un superbe cheval de sport, excellent en dressage, en saut d'obstacles et en concours complet. Il est élevé avec d'autres races à sang chaud, notamment le hanovrien.

Le holstein est bâti de manière assez différente des autres chevaux à sang chaud, car il est élancé et fortement charpenté, ce qui lui permet d'avoir une grande foulée. La tête est allongée et rectiligne avec des naseaux bien ouverts et de grands yeux doux. Les oreilles sont expressives. L'encolure est longue, élégante et bien développée, avec un garrot saillant. Le dos est long et rectiligne. L'épaule est inclinée et bien dessinée, permettant une grande foulée. Le poitrail est éclaté, le passage de sangle profond, les hanches sont puissantes et musclées, comme les jambes.

Bien qu'ayant conservé une forte charpente, le holstein est un cheval élégant, bien équilibré, possédant une grande envergure d'action. De nature docile et obéissante, il est dynamique et adore travailler. Ce cheval d'une taille imposante est très demandé en compétition.

La robe est le plus souvent baie, bien que toutes les couleurs solides soient permises, ainsi que le gris. La taille moyenne se situe entre 1,63 m et 1,73 m.

Des inspections annuelles veillent à la qualité du cheptel holstein. Les chevaux sont évalués et notés selon leurs qualités et leur potentiel avant d'être déclarés aptes à la reproduction.

ISLANDAIS

L'Islande n'a jamais abrité de race de cheval indigène. Le cheval islandais descend du fjord et du døle, tous deux originaires de Norvège, ainsi que des races de poney celte, shetland, highland et connemara des Îles Britanniques, introduites en Islande par les colons celtes et les Vikings au IXe siècle. L'espace étant restreint à bord de leurs vaisseaux, les équipages ne prirent que leurs meilleurs spécimens avec eux. Une fois établis, ils laissèrent sans doute leurs chevaux s'accoupler librement, donnant naissance à la race islandaise que nous connaissons aujourd'hui : un animal robuste, capable de supporter des conditions semi-sauvages et de survivre au froid extrême des hivers arctiques. Il fut utilisé en agriculture ainsi que pour se déplacer sur terrain gelé.

Depuis le Moyen Âge, le cheval islandais n'a connu aucune modification génétique. Malgré sa stature de poney,

les Islandais le considèrent comme un cheval. D'ailleurs, le mot poney n'existe pas dans leur langue. L'animal tient une place importante dans les épopées nationales, dans lesquelles tout guerrier considère qu'un bon cheval a plus de valeur que de l'or. Les grands chevaux étaient traités avec respect et les guerriers étaient toujours enterrés aux côtés de leurs montures.

Au début du XXe siècle. des chevaux islandais furent exportés vers la Grande-Bretagne où ils travaillèrent au fond des mines comme animaux de bât.

Naturellement robuste, l'islandais est bien charpenté, avec des jambes fortes et des pieds extrêmement résistants. Sa tête est de longueur moyenne, il possède les traits typiques d'un poney, avec de petites oreilles douces et bien dressées et un regard expressif. L'encolure est bien implantée, le poitrail est large avec un passage de sangle profond.

Monture idéale des enfants, l'islandais adore vivre en extérieur et ne nécessite aucun entretien particulier. Il est célèbre pour ses deux allures particulières : d'une part le *tølt*, une allure courue à quatre temps, aussi rapide qu'un petit galop et très confortable. D'autre part le *skeid*, sorte « d'amble volant » à deux temps, est très fatigant pour le cheval et son cavalier. Cette allure permet d'atteindre une vitesse frôlant les 50 km/h, ce qui est un spectacle très impressionnant. D'une maturité tardive, l'islandais ne doit pas être monté avant l'âge de 4 ans. D'une bonne longévité, il n'est pas rare qu'il travaille jusqu'à 30 ans.

Presque toutes les couleurs de robe existent, ainsi que de nombreuses variations. En hiver, le poil très épais est composé de trois couches distinctes. La taille moyenne est comprise entre 1,25 m et 1,37 m.

Les chevaux islandais portent souvent un nom en rapport avec la couleur de leur robe, leur tempérament ou un autre trait personnel, tiré de la mythologie scandinave. Par exemple, le nom de poney Grána veut dire « jument grise ».

TRAIT IRLANDAIS

L'histoire du trait irlandais remonte aux Celtes qui envahirent l'Irlande avec les chevaux qu'ils emportèrent, sans doute des races orientales et ibériques qu'ils croisèrent avec des poneys celtes. Au Moyen-Âge, l'Irlande fut de nouveau colonisée, par les Anglo-Normands cette fois, dont les chevaux plus lourds et plus grands étaient originaires d'Europe et dont les gènes vinrent enrichir le creuset, engendrant un animal plus lourd. Les fermiers l'utilisèrent pour les travaux de labour, de transport et comme cheval de selle polyvalent. Il servit aussi à la chasse en terrain souvent difficile.

Au XVIIIe siècle, le trait irlandais fut amélioré par l'apport de sang pur-sang et arabe et peut-être même barbe et turkmène. Le résultat fut un animal d'excellente conformation, à la fois cheval de trait lourd et excellent cheval de selle. Il possédait toutes les qualités d'une race plus lourde à sang froid, rehaussées de l'éclat et de la verve d'une race à sang chaud comme l'arabe ou le pur-sang.

En 1 845 – 46, la famine due à la maladie de la pomme de terre entraîna le déclin de la race : l'économie du pays étant à genoux, le trait irlandais faillit disparaître. À la fin du siècle, on décida d'introduire du sang clydesdale et shire, plus lourd, pour

créer un cheval plus imposant. Les conséquences furent désastreuses pour la race. Au début du XXe siècle, le gouvernement irlandais prit conscience du danger et encouragea le retour à la qualité. On mit en place des contrôles et des critères d'enregistrement sélectifs. Le *stud-book* fut ouvert en 1917, notamment grâce à la valeur que l'armée britannique accordait au cheptel. À la fin de la Première Guerre mondiale, la race se trouva de nouveau menacée par l'apparition du transport mécanisé. Le trait irlandais allait désormais servir aux travaux agricoles et à la chasse.

Au début du XXe siècle, des apports de sang pur-sang permirent de créer le superbe

cheval de compétition que nous connaissons aujourd'hui. Excellent en cross-country et en concours complet, il a hérité du trait irlandais son talent pour le saut. Certains steeplechasers sont des chevaux de race trait irlandais.

La tête est élégante, le profil rectiligne. Ses oreilles pointues, de longueur modérée, lui donnent n air noble. L'encolure courte est très forte, le garrot est légèrement saillant, l'épaule est longue et oblique.

Le splendide trait irlandais est surtout un hunter, mais les infusions de pur-sang et d'arabe en ont également fait un excellent cheval de sport.

Le poitrail est large, le passage de sangle profond. Le dos de longueur moyenne est bien musclé, avec une arrière-main puissante. Les jambes robustes et musclées ont de bons os, les sabots sont larges et ronds.

Ce cheval bien charpenté de type mi-lourd, présente d'évidentes qualités de finesse. Ainsi, il n'a pas de fanons, pourtant fréquents chez la plupart des races lourdes. Très résistant, il est agile et courageux, docile et actif. Naturellement doué pour le saut, il fait preuve d'intelligence et de bon sens.

Le plus souvent bai, bai brun, alezan et gris, le trait irlandais toise entre 1,55 m et 1,72 m.

JUTLAND

L'histoire du jutland est très ancienne. Il descend du cheval des forêts de la préhistoire, qui s'accoupla bien plus tard avec des races indigènes, donnant naissance à un cheval lourd qui devint la monture préférée des chevaliers en armure au Moyen-Âge. Des apports de cleveland bay et de carrossier du Yorkshire contribuèrent par la suite à lui donner plus de substance.

Mais ce fut le suffolk punch qui fit vraiment du jutland le cheval qu'il est aujourd'hui. Vers 1850, un programme sélectif d'amélioration de la race fut mis en place pour produire un cheval puissant adapté aux travaux agricoles lourds. En 1862, son évolution progressa de manière décisive grâce à un étalon suffolk punch-shire du nom d'Oppenheim, ancêtre de la plus grande lignée d'étalons jutland. Le plus illustre de ses représentants n'est autre qu'Aldrup Menkedal, considéré comme l'étalon fondateur de la race.

Le jutland a également exercé une influence sur la formation d'autres races comme le trait lourd du Schleswig et le danois à sang chaud. Le *stud-book* de la race fut ouvert en 1 881.

Le jutland possède une tête un peu lourde et ordinaire, avec un chanfrein légèrement busqué. Les oreilles sont de longueur modérée, l'expression de ses yeux est douce et affectueuse. L'encolure greffée haut est épaisse, arquée et très musclée. Le garrot assez plat se fond sur un dos large.

La poitrine est ample, les épaules sont droites et musclées. Le dos est court, les reins et la croupe sont arrondis. Les membres sont courts, épais et très ossus avec des fanons fournis.

D'un tempérament calme et doux, le jutland possède une grande énergie et est très volontaire au travail. Héritée du suffolk punch, sa robe est souvent alezane avec une crinière et une queue crins lavés. Il arbore parfois aussi d'autres robes unies, grises ou rouannes. Sa taille varie entre 1,52 m et 1,63 m.

Le jutland est une race de trait lourd originaire du Danemark. Ses ancêtres vivaient sur la péninsule du Jutland depuis des temps immémoriaux.

KABARDIN

Le kabardin descend du tarpan, ce cheval sauvage originaire d'Europe de l'Est et d'Asie et dont le dernier représentant s'éteignit en captivité en 1 887. Comme beaucoup d'autres races russes, le kabardin demeura inchangé jusqu'à la révolution russe, après laquelle des mesures furent prises pour améliorer la race. Le kabardin original fut croisé avec du sang karabakh, turkmène, perse et arabe pour créer un cheval plus grand, plus lourd pour servir sous la selle, le bât et l'agriculture. Le kabardin est aussi un excellent cheval de montagne, sans doute le meilleur au monde : agile, intelligent et doté d'un pied sûr, il possède un talent inné pour trouver la route la plus sûre. Sa grande résistance lui permet de travailler toute une journée sans fatigue.

La race demeure très populaire dans sa patrie d'origine, actuelle république de Kabardino-Balkarie située dans la région du Caucase. Le kabardin continue d'être utilisé comme cheval de selle et de trait

Race principale du Caucase du Nord, le kabardin est utilisé pour améliorer le cheptel local en Arménie, en Azerbaïdjan et en Géorgie. Les meilleurs kabardin sont élevés dans les haras de Karachai et Malka. Les croisements avec des pur-sang se répandent.

léger. Ailleurs, il sert d'améliorateur de race et est utilisé en compétition.

Sa tête allongée possède un profil convexe. Les oreilles dont les pointes sont tournées vers l'intérieur sont rapprochées. Les yeux ont une expression intelligente,

les naseaux sont ouverts. L'encolure est longue et bien développée, le dos est droit et fort. Les jambes sont longues et élégantes tout en étant très solides. L'apparence générale du cheval est marquée par son ascendance orientale.

Pour parler à un cheval, il n'y a pas besoin de mots. C'est une étreinte charnelle qui alimente nos rêves.

Bartabas

Le kabardin est doux, obéissant, intelligent et fiable. Malgré une constitution robuste, il a besoin d'un supplément de nourriture en hiver à l'extérieur.

Souvent bai, noir, bai brun voire gris, il toise entre 1,44 m et 1,54 m en moyenne.

KARACABEY

La Turquie est bien fournie en chevaux qui continuent de participer à la vie quotidienne des habitants, servant aux travaux agricoles et au transport. Parmi les différents types de chevaux dont dispose la Turquie, le karacabey est le seul capable d'engendrer une descendance homogène.

On sait que le karacabey est issu du cheptel indigène turc. C'est pourquoi on le considère généralement comme le cheval turc natif. La race en elle-même est assez récente car ses origines remontent au début du XXe siècle. Des juments turques furent accouplées avec des étalons nonius importés de Hongrie par les Turcs. Une importante proportion de sang arabe fut infusée pour apporter à la race de la finesse, de la résistance, de l'agilité et de la vitesse. De nos jours, le karacabey continue d'être utilisé pour le travail de trait léger, sous la selle, au bât et comme monture de cavalerie.

Sa tête exprime la fierté, son profil est rectiligne. Les oreilles de longueur modérée sont mobiles, le regard est doux et intelligent. L'encolure, relativement longue, est légèrement arquée. Les épaules sont obliques, le passage de sangle est profond, le corps est de longueur moyenne, les membres sont forts et élégants.

Le karacabey est un cheval robuste, résistant et endurant. De nature docile, c'est un travailleur énergique et obéissant.

Toutes les couleurs unies existent, ainsi que le gris et plus rarement le rouan. La taille moyenne d'un cheval karacabey varie entre 1,53 m et 1,65 m.

Le karacabey est considéré comme le cheval turc natif car il est issu du cheptel local.

KNABSTRUP

Les origines du knabstrup remontent à
l'environ 200 ans, mais il est probable
que ses ancêtres lointains soient des chevaux
ibériques de la préhistoire. Le knabstrup
possède une particularité tout à fait
inhabituelle pour un cheval européen :
sa robe tachetée est spectaculaire. On suppose
qu'il s'agit d'un héritage de ses ancêtres
préhistoriques, les chevaux tachetés
apparaissant sur certaines peintures rupestres.

Les chevaux tachetés rencontraient
beaucoup de succès dans les cours royales
d'Europe aux XVIe et XVIIe siècles. La race
knabstrup fut fondée beaucoup plus tard,
au début du XIXe siècle. Une jument ibérique
de Knabstrup au Danemark fut couverte

Très loin, au plus profond du secret de notre âme,
un cheval caracole… Un cheval, le cheval !
Symbole de la force déferlante, de la puissance
du mouvement, de l'action…

D.H. Lawrence

par un étalon frederiksborg palomino.
Leur progéniture naquit avec une robe
tachetée de plusieurs couleurs et possédant
des reflets métalliques. Ce cheval devint
l'étalon fondateur de la race knabstrup.

Malheureusement, comme les chevaux
n'étaient élevés qu'avec la robe comme seul
critère, on ne prêta pas suffisamment
attention à leur conformation et la race
se détériora, perdit sa popularité et faillit
disparaître. Elle a récemment été améliorée
grâce à un apport de sang pur-sang et a
regagné sa popularité. Le cheval est
aujourd'hui utilisé en équitation de loisir et
est aussi présenté en exhibition et dans les
spectacles de cirque, sa robe tachetée étant
très demandée.

La tête est longue, avec un profil
rectiligne ou convexe. Les oreilles sont
petites et dressées, le regard est amical et
intelligent. Le museau est carré avec des
naseaux ouverts. L'encolure est haute, les
épaules sont bien développées et le poitrail
est large. Le dos est plutôt long, avec des
hanches légèrement tombantes. Les jambes
puissantes sont dotées de bons os.
La crinière et la queue sont peu fournies.

Le knabstrup, qui possède d'excellentes
allures naturelles, est un bon cheval de selle.
Il est complaisant, intelligent et facile à
manier. C'est un travailleur actif et obéissant.

Les couleurs de robe et les motifs sont
variés. La robe léopard est la plus recherchée.
Sa taille moyenne est comprise entre 1,54 m
et 1,56 m.

En 1971, le knabstrup bénéficia d'un apport
de sang appaloosa. Démarche logique,
puisque l'appaloosa descend directement des
chevaux tachetés amenés d'Espagne par les
conquistadors qui colonisèrent l'Amérique.

LIPIZZAN

Le lipizzan est sans doute l'une des races les plus connues au monde, sa renommée étant associée à l'école espagnole de Vienne. Bien qu'originaire de l'actuelle Slovénie, le lipizzan a une histoire bien plus ancienne, qui remonte au VIIIe siècle, lorsque les Maures occupaient l'Espagne. Ces envahisseurs étaient venus avec leurs chevaux d'origine orientale, entre autres arabes et barbes. Les croisements entre ces derniers et les chevaux ibériques, plus lourds, engendrèrent l'andalou, auquel le lipizzan doit sa part d'hérédité la plus importante.

En 1580, l'archiduc Charles II d'Autriche, fils de l'empereur romain germanique Ferdinand Ier, hérita de l'Autriche-Hongrie. Lipizza (ou Lipica) faisait donc partie de ses nouvelles possessions. L'équitation classique étant alors très en vogue, Charles II décida

L'air du paradis est celui qui souffle entre les oreilles d'un cheval.

Proverbe arabe

d'y fonder un haras afin d'améliorer ses chevaux, qui pourraient ainsi effectuer les figures de haute école. L'endroit était aussi destiné à élever des chevaux carrossiers. Le haras fit venir les meilleurs chevaux ibériques, réputés pour leur talent dans les disciplines de haute école. Ces chevaux sont à l'origine de la race lipizzan. Ils furent aussi croisés avec des races locales plus lourdes et des chevaux de sang barbe, arabe, andalou, napolitain et kladruber. C'est ainsi que naquit cette race de chevaux de dressage.

La fameuse École espagnole fut créée à Vienne en 1 572. Elle s'appelle ainsi, non

CI-CONTRE : Un lipizzan à l'École espagnole de Vienne.

À DROITE : Un étalon lipizzan au haras.

pas parce que les traditions équestres y sont espagnoles, mais parce que les chevaux eux-mêmes sont d'origine espagnole. L'école avait pour vocation d'enseigner l'art équestre classique aux jeunes gens de la noblesse. Le bâtiment original était une simple structure en bois, qui finit par être remplacé par le splendide bâtiment commandé par Charles VI en 1 735 et qui est encore en usage de nos jours. Aujourd'hui, l'École espagnole de Vienne est exclusivement composée d'étalons de race lipizzan.

Lors de la chute de l'empire austro-hongrois, le haras fut déplacé à Piber en Autriche, puis évacué en Allemagne durant la Seconde Guerre mondiale afin de le placer en sécurité et empêcher que l'armée russe ne s'en empare. De nos jours, les chevaux sont principalement élevés à Piber (qui fournit tous les étalons pour l'École espagnole de Vienne), bien que certains viennent de Lipizza et de Babolna en Hongrie, de la République tchèque, de Slovénie et de Roumanie. Presque exclusivement réservé à la haute école, le lipizzan est parfois utilisé comme cheval de trait, d'attelage ou d'équitation de loisir.

La race lipizzan est issue de six étalons fondateurs, dont les différences se retrouvent chez leurs descendants actuels. Cependant, quelle que soit la lignée, les chevaux ont tous le type ibérique, comme le lusitano et l'andalou.

La tête est grande avec un profil rectiligne ou convexe. Les petites oreilles, élégamment dressées, sont alertes et le regard est doux et intelligent. L'encolure est puissante et bien musclée, implantée haut et arquée. Le poitrail est éclaté et profond. L'épaule et le dos sont longs et musclés. Les hanches sont puissantes, la queue est attachée bas. Les sabots sont petits mais solides et bien formés.

Le noble lipizzan possède toutes les admirables qualités de ses ancêtres : l'agilité

Les poulains lipizzan naissent avec une robe foncée qui devient d'un blanc éclatant lorsqu'ils atteignent leur maturité.

et l'équilibre des chevaux ibériques, la résistance et le raffinement des chevaux de race orientale. Gentil, intelligent, énergique et obéissant, le lipizzan possède en outre une classe naturelle. Chez ce cheval, la maturité est tardive et ne vient pas avant l'âge de 7 ans. C'est pourquoi il est déconseillé de le faire travailler trop tôt. En outre, le travail exigeant de haute école demande de la force et de la maturité physique. La race bénéficie d'une bonne longévité et des étalons peuvent demeurer à leur plus haut niveau jusqu'à une vingtaine d'années.

Le lipizzan est réputé pour sa fameuse robe grise (blanche). Les poulains naissent foncés et s'éclaircissent jusqu'à devenir d'un blanc pur à leur maturité. Quelques sujets restent bais ou noirs. Par tradition, ceux-ci sont gardés à l'École espagnole en souvenir des ancêtres du lipizzan blanc, les chevaux ibériques, qui étaient bais, noirs, bai brun ou rouans. La taille des chevaux est comprise entre 1,50 m et 1,60 m.

LUSITANO

Également appelé lusitanien, le lusitano possède les mêmes origines que le cheval andalou (pure race espagnole), tous deux étant issus du cheval de selle ibérique. Le lusitano doit son nom à la Lusitanie, nom du Portugal à l'époque romaine. La race, dont les origines remontent à 25 000 av. J.-C., descend des ancêtres du poney sorraia, dont on peut voir des représentations sur des peintures rupestres retrouvées dans la péninsule ibérique.

Contrairement au cheval andalou, le lusitano est resté plus proche de son ascendant le sorraia, car il n'a reçu que des infusions de sang oriental, garrano et ibérique. Afin que la race demeure fidèle à son type, ce mélange n'a pas changé depuis des siècles et le soin le plus attentif est apporté pour n'utiliser que des chevaux qui possèdent des traits ibériques évidents.

Le lusitano fut principalement élevé pour effectuer des travaux agricoles dans les environs du Tage, et c'est encore le cas aujourd'hui. Il est aussi utilisé en tauromachie et en haute école. Au Portugal, les taureaux ne sont pas tués, et toute la corrida se déroule à cheval. Le lusitano doit se révéler tout particulièrement agile et rapide pour éviter de se faire blesser.

Ces chevaux d'excellente qualité reçoivent un entraînement de haute école pour développer leur précision afin de pouvoir survivre à ce spectacle éprouvant et dangereux. Les étalons lusitano sont formés selon ces critères très élevés avant de débuter leur carrière au haras. Tous les chevaux de combat sont donc entiers. On dit que les hongres manqueraient de courage et d'intelligence pour travailler dans l'arène.

Le lusitano portugais a les mêmes ancêtres que le cheval andalou.

De nos jours, le lusitano sert aussi d'améliorateur de races.

Le port de tête est noble et élégant. La tête est de longueur moyenne, avec un profil rectiligne ou légèrement convexe et des naseaux ouverts. De longueur modérée, les oreilles sont alertes et bien formées. Le regard est vif et intelligent, l'encolure arquée et musclée est implantée haut, le garrot est saillant. Les épaules obliques sont puissantes, le poitrail est large avec un passage de sangle profond. Le dos est court et puissant, la croupe forte et arrondie est bien proportionnée. Le lusitano doit son action relevée à ses jarrets longs et forts, capables d'une grande impulsion. Son grasset bien développé permet une très bonne flexion.

Ce cheval courageux est gentil, docile et obéissant. Sa placidité est une qualité importante pour un cheval de combat.

Toutes les couleurs unies de robe sont possibles, y compris le gris. Le lusitano mesure entre 1,55 m et 1,60 m.

Le lusitano est un cheval de dressage très doué, dont l'action naturellement relevée est très spectaculaire.

171

MAREMMANO

Le maremmano ou cheval de Maremme, originaire de la région toscane du même nom en Italie, descend du cheval napolitain, aujourd'hui disparu. Des apports ultérieurs de sang ibérique et européen sont probables. Au fil des siècles, la race fut affaiblie par des croisements avec des chevaux indigènes semi-sauvages ainsi que d'autres chevaux ou poneys des environs. Il a été récemment croisé avec le pur-sang, ce qui l'a rendu plus élégant mais hélas moins résistant.

De nos jours, le maremmano est encore utilisé en agriculture, comme cheval d'équitation de loisir et comme cheval de remonte de la police montée italienne.

Le maremmano possède une tête plutôt quelconque au profil rectiligne ou légèrement convexe. L'encolure est courte, avec une épaule droite, un garrot plat et un port de queue bas. Les jambes sont fortes et robustes, avec des sabots solides.

Le maremmano est un animal costaud doté d'un tempérament calme. Il est fiable, obéissant et actif. Toutes les couleurs de robe existent, y compris le gris et le rouan. Sa taille est comprise entre 1,52 m et 1,60 m.

Le maremmano est traditionnellement le cheval des butteri, *gardiens de bétail de la région de la Maremme en Toscane.*

MÉRENS

Depuis la préhistoire, des chevaux qui ressemblent beaucoup au mérens vivent dans les Pyrénées. Des peintures rupestres les représentant ornent les parois de la grotte de Niaux. Cette race indigène a un peu évolué au fil des ans, grâce à des croisements avec des chevaux lourds introduits dans la région par les Romains, et plus tard par des apports de sang oriental.

Doté d'un pied sûr et d'une bonne résistance, le mérens est parfaitement adapté aux terrains inhospitaliers. Les fermiers de montagne l'utilisent ainsi comme cheval de labour et de transport depuis des siècles.

Le mérens était aussi utilisé pour transporter le bois. Ce fut aussi un cheval de guerre au Moyen Âge et durant les campagnes napoléoniennes.

Le mérens, ou ariégeois, ressemble à la fois aux poneys dales et fell des Îles britanniques et au frison. Les éleveurs poursuivent un élevage traditionnel : les chevaux vivent dehors toute l'année et les poulains naissent aux premières neiges de printemps. En été, ils pratiquent la transhumance : les chevaux sont conduits dans la montagne où ils restent en liberté pendant quelques mois, avant d'être sélectionnés pour être débourrés, servir à la reproduction ou être vendus. De nos jours,

on continue de les utiliser en agriculture, en sylviculture, en attelage et comme monture pour les enfants.

Le mérens est un cheval très attrayant, avec une jolie petite tête au profil rectiligne ou légèrement concave, avec de petites oreilles dressées et un regard doux et gentil. L'encolure est courte et bien développée, le corps est robuste et fort, avec une arrière-main bien développée. Les jambes sont courtes et bien ossues, avec quelques fanons. Habituellement noir, ce petit cheval mesure entre 1,45 m et 1,55 m.

Le mérens est utilisé par les fermiers des Pyrénées depuis des centaines d'années.

NEW FOREST

Le poney new forest descend très probablement du poney celte, comme toutes les races britanniques indigènes. On trouve une première mention de l'animal à l'époque du roi Canute (v. 995 – 1 035).

Le New Forest se situe dans le comté d'Hampshire dans le sud de l'Angleterre. Principalement recouverte de maquis, de bourbier et de lande, cette région a contribué au développement d'un animal robuste, conçu pour survivre dans des conditions difficiles. Au fil des ans, du sang arabe et pur-sang permit d'augmenter la taille et les performances du poney et d'améliorer son apparence. Il fallut attendre la fin du XIXᵉ siècle et le règne de la reine Victoria pour assister à la création d'un programme d'élevage structuré. Au même moment, d'autres races britanniques furent aussi introduites, comme le dartmoor, l'exmoor, le welsh, le fell, le dales et le highland.

En 1 891 fut créée la Société pour l'amélioration du poney new forest, permettant d'assurer un apport d'étalons de qualité natifs du New Forest. Le premier *stud-book* fut officiellement publié en 1910.

De nos jours, bien que des poneys new forest vivent encore et se reproduisent dans leur environnement d'origine, de nombreux

Il y a quatre choses plus grandes que les autres : les femmes, les chevaux, le pouvoir et la guerre.

Rudyard Kipling

poneys de qualité sont également élevés dans des haras privés partout dans le monde.

Le poney new forest est l'une des races les plus grandes de Grande-Bretagne. Monture idéale des enfants, il est assez grand et robuste pour être également monté par des adultes.

Son corps est bien proportionné, plus mince que chez les autres races britanniques, et ses pieds sont bien formés.

Calme et docile, le new forest est parfait en attelage. On peut l'utiliser en dressage, en saut d'obstacles et en cross-country.

Toutes les couleurs de robe sont possibles, avec des touches de blanc. Il mesure entre 1,22 m et 1,47 m.

Ces poneys vivent dans le New Forest au sud de l'Angleterre depuis plusieurs siècles.

NORIKER

Le noriker est une race ancienne qui fut créée par les Romains il y a plus de 2000 ans, dans leur province baptisée Noricum, aujourd'hui en territoire autrichien. Plusieurs races lourdes, sans doute croisées avec des andalous et des napolitains, sont à l'origine de la race.

Le cheval développé par les Romains était fort, avait le pied sûr, ce qui en faisait un animal parfaitement adapté au travail de trait en montagne et dans des conditions difficiles. Il était utilisé en agriculture et en sylviculture. Au XVIᵉ siècle, une infusion de sang andalou et napolitain donna à la race plus de finesse et d'agilité. Une souche

bavaroise développée au XIXe siècle fut améliorée par un apport de sang normand, cleveland bay, holstein, hongrois, clydesdale et oldenbourg, devenant ainsi plus légère et plus élégante.

Il existe aujourd'hui 5 différents types de noriker : le pinzgauer-noriker, le steier, le tyrol, le carinthien et le bavarois. Ce sont tous des chevaux de trait léger qui sont encore utilisés pour les travaux agricoles en Allemagne et en Autriche.

Le noriker possède une tête plutôt quelconque, un peu lourde, au profil rectiligne ou légèrement convexe. L'encolure est courte, forte et bien développée, l'épaule est droite. Le corps est robuste avec des hanches tombantes et une queue attachée bas.

Les jambes sont courtes et robustes, ornées de quelques fanons et terminées par des pieds solides.

Le noriker est un cheval actif et agile. Fort et doté d'un pied sûr, il est adapté aux terrains difficiles. Accommodant et obéissant, il supporte des conditions rudes.

Le plus souvent alezan, le noriker a parfois la queue et la crinière de couleur crins lavés. La robe peut être aussi baie, bai brun, noire, rouanne et tachée. La taille moyenne est comprise entre 1,55 m et 1,67 m.

Le noriker est toujours utilisé en agriculture en Autriche et en Allemagne.

SUÉDOIS DU NORD

Descendant du poney celte préhistorique, le suédois du Nord a des ancêtres communs avec le døle suédois. Dans ses veines coule du sang de trotteur du Norfolk, de trait lourd et de pur-sang. La race s'est divisée en deux types distincts, donnant ainsi naissance à une version plus légère, le trotteur suédois du Nord : capable de parcourir 1 km en 1 minute et 30 secondes, il est plus rapide que de nombreuses autres races reconnues pour leur vitesse.

D'une stature plus grande, le type de trait plus lourd est utilisé pour les travaux agricoles et le transport.

Comme le døle, la race ressemble à un grand poney. La tête est petite et élégante, le front large, le profil rectiligne ou légèrement convexe et le museau carré. Les oreilles sont petites et alertes et le regard est gentil mais curieux. L'encolure est courte, légèrement arquée et bien développée. La poitrine et les épaules sont puissantes, le passage de sangle est profond, le dos est long avec une arrière-main bien musclée. Les jambes sont petites et robustes, avec de bons os, des pieds solides,

et des fanons autour des talons. Le type plus lourd a plus d'os et de substance.

Robuste et résistant, le suédois du Nord jouit en outre d'une bonne longévité. Il ne nécessite que peu de soins et de nourriture et possède une grande endurance. Son action élastique est bien équilibrée et le type trotteur est rapide.

Toutes les couleurs de robe sont permises. La taille moyenne est de 1,55 m.

Comme le døle-gudbrandsdal de Norvège, le suédois du Nord a l'apparence d'un poney, mais est répertorié parmi les chevaux.

NORDLAND

Le nordland est rare en dehors de la Norvège, son territoire d'origine. Comme la plupart des races natives du Nord de l'Europe, il descend du poney celte préhistorique. Du sang tarpan coule aussi dans ses veines.

Il ressemble au shetland, le poney d'Écosse, et bien qu'il fût élevé par des fermiers nullement désireux de conserver la race pure, il est demeuré remarquablement fidèle au type depuis des siècles. Le nordland fut gravement menacé pendant les années 1940, la population étant alors tombé à 43 individus. Grâce au travail des éleveurs et à l'étalon Rimfaske, le nordland fut provisoirement sauvé de l'extinction.

Aujourd'hui, l'équitation étant devenue un loisir populaire, la demande de poneys s'accroît. La race est donc en croissance et hors de danger immédiat. Le nordland est une excellente monture pour enfants, mais il est toujours utilisé pour des travaux légers dans les fermes locales.

La tête du nordland, habituellement proportionnelle à son corps, peut être parfois un peu plus grosse. Les oreilles sont petites et élégantes, les yeux sont grands et gentils. L'encolure est forte et de longueur moyenne. Le corps est allongé, les jambes sont robustes avec des sabots solides et sont ornées de fanons.

Le nordland est résistant et peut vivre toute l'année dehors, dans les conditions les plus dures, ne nécessitant qu'un minimum de soin de supplément de nourriture. C'est un animal énergique qui adore courir.

La robe peut être baie, bai brun, alezane ou grise. La taille du nordland est comprise entre 1,40 m et 1,47 m.

Le poney nordland est confiné dans sa Norvège natale. Comme d'autres races d'Europe du Nord, il descend du poney celte.

OLDENBOURG

É levé à l'origine comme cheval d'attelage ou carrossier, l'oldenbourg est le plus lourd des chevaux demi-sang allemands modernes. La race fut créée au début du XVIIᵉ siècle dans la Frise orientale, au nord-ouest de l'Allemagne par le comte Anton Günther von Oldenburg, à qui elle doit son nom.

Cet éleveur avisé croisa des juments de l'ancien type frison, avec l'étalon demi-sang oriental Kranich, puis ajouta du sang ibérique (genet d'Espagne) et napolitain pour créer un carrossier fortement charpenté. La race fut stabilisée au XIXᵉ siècle par l'introduction de sang

*Les chevaux adorent la liberté et le plus vieux,
le plus lourd des chevaux de trait se roule dans
l'herbe ou se lance dans un galop maladroit
lorsqu'il se retrouve, libre en plein air.*

Gerald Raftery

pur-sang, cleveland bay, carrossier du Yorkshire, anglo-normand et hanovrien.

L'oldenbourg fut utilisé, entre autres, dans l'artillerie militaire. Au fil des années, la demande pour ce type de chevaux diminua au profit d'un cheval de selle plus léger, adapté au loisir et à la compétition.

Dans la seconde moitié du XXe siècle, on décida d'alléger la race par de nouvelles infusions de sang trakehner, hanovrien et westphalien. De nos jours, l'oldenbourg excelle en dressage et en saut d'obstacles et s'avère difficile à dépasser en équipage et en attelage, tant en compétition qu'en cérémonie.

L'oldenbourg se distingue par la noblesse de son port de tête. L'encolure est implantée haut, l'épaule est longue, le dos fort, la croupe est bien musclée avec de solides jointures. Cet élégant cheval de dressage est aussi un très bon sauteur, qui possède une action allongée et active.

L'oldenburg ressemble à un hunter. De nature stable, il est facile à manier et à monter. Souvent noir, bai ou bai brun, il mesure entre 1,65 m et 1,75 m.

Carrossier à ses débuts, l'oldenbourg est devenu un excellent cheval de sport moderne.

TROTTEUR D'ORLOV

Le trotteur d'Orlov est une des premières races de ce type au monde. Elle fut créée au XVIIIᵉ siècle par le comte Alexis Grigorievitch Orlov, dont l'ambition était de produire un superbe cheval de trot. Il fonda dans ce but un haras à Ostrov, près de Moscou, introduisant un grand nombre de chevaux arabes. L'un d'entre eux était l'étalon Smetanka, un cheval gris argent, acheté à l'époque pour une somme énorme. D'une taille supérieure à la moyenne, il possédait un trot extravagant. Le climat étant trop rigoureux, Smetanka mourut hélas après une saison de monte, laissant à Orlov une progéniture peu nombreuse, qu'il croisa avec des juments harddraver, mecklembourg, danois sang chaud, pur-sang et arabes.

Pour l'étalon, son allure tenait moins
de la course que du vol. Suspendu, étendu
dans l'air, il ne touchait le sol que pour s'en
détacher d'un seul battement. Et Ouroz,
le visage contre la crinière flottante, le corps
léger, délié, comme fluide, n'avait point
d'autre vœu que de flotter ainsi qu'il le faisait
au-dessus de la steppe (...).

Joseph Kessel

Orlov décida de déménager son haras à Khrenovoye dans la région de Voronezh au sud de Moscou. L'endroit était entouré de vastes pâturages, de sources d'eau claire, et bénéficiait d'un climat sec.

Le haras de Khrenovoye fut ainsi fondé en 1 778. L'année suivante naissait le poulain mâle Polkan I, qui fut croisé plus tard avec une jument danoise ayant du sang ibérique. Ils engendrèrent Bars I, un poulain mâle qui fit preuve, en grandissant, d'une résistance exceptionnelle. Ce superbe trotteur devint l'étalon fondateur de la race trotteur d'Orlov.

Le trotteur d'Orlov est un cheval musclé, réputé pour son action exceptionnelle. Sa résistance et sa qualité lui permirent de régner sur les courses de trot jusqu'à la fin du XIXe siècle, avant d'être détrôné par le trotteur américain et le trotteur français. De nos jours, le trotteur d'Orlov ne peut plus rivaliser avec ces deux races plus rapides.

Le trotteur d'Orlov a une petite tête élégante au profil noble. Les oreilles sont fortement typées arabes. L'arrière-main est puissante et comme chez de nombreux trotteurs, l'épaule est rectiligne. Ce cheval au pied sûr est énergique. Son trot rapide et équilibré en fait un bon cheval de selle, d'attelage et de trot.

Souvent noir, gris ou bai, le trotteur d'Orlov mesure entre 1,55 m et 1,73 m.

Léon Tolstoï, l'auteur de Guerre et paix, *immortalisa ce trotteur exceptionnel dans une nouvelle intitulée* Kholstomer.

PERCHERON

Le percheron est originaire du Perche en Normandie. Cette race ancienne remonte à 732 : après avoir subi une défaite lors de la bataille de Poitiers, les Maures furent contraints d'abandonner leurs chevaux arabes, qui furent croisés avec des juments natives lourdes, donnant naissance au type percheron.

Les premiers percherons, plus légers que leurs descendants modernes, étaient utilisés sous la selle et comme chevaux de trait léger.

Au Moyen Âge, les croisés ramenèrent de Terre sainte des chevaux barbes et arabes, à l'origine de nouveaux métissages. À la même époque, le comte du Perche rapporta des chevaux ibériques de ses incursions en Espagne, qu'il accoupla aussi avec des percherons. Plus tard, la race bénéficia d'infusions de sang andalou.

Au XVIIIe siècle, la race originale avait été presque complètement éradiquée par des apports supplémentaires de pur-sang et d'arabes. En 1820, deux étalons arabes gris furent croisés avec des juments percheronnes.

C'est à eux que le percheron doit sa couleur grise, prédominante chez la race moderne.

L'avènement du chemin de fer entraîna le déclin de la demande en percherons légers. Vers le milieu du XIXe siècle, les anciennes souches étaient sur le point de disparaître. Des juments lourdes venues d'autres régions furent alors accouplées avec des étalons percherons pour augmenter les effectifs. Les éleveurs se tournèrent alors vers le marché

Le percheron joua un rôle important dans la longue histoire de la France.

de l'agriculture et commencèrent à produire un type lourd destiné aux travaux agricoles et forestiers et dans certains pays, aux travaux de halage. Un type de percheron plus léger existe encore : il est utilisé comme cheval de trait léger. On le rencontre parfois dans les exhibitions et les compétitions.

Massivement exporté vers des pays comme le Royaume-Uni, le Canada, l'Australie ou certaines régions d'Europe, le percheron est actuellement l'une des races de trait les plus populaires au monde.

Pour une race lourde, le percheron possède une tête fière et élégante, avec un profil rectiligne, un front large, un regard expressif et de petites oreilles bien dessinées. L'encolure est courte ou de longueur moyenne, bien développée et d'une grande force. Les épaules sont bien dessinées et bien inclinées, la poitrine est large et le passage de sangle profond. Le dos est court, ce qui ajoute de la force, les hanches sont larges et légèrement tombantes. Les jambes courtes et robustes sont terminées

par des sabots solides. L'absence quasi totale de fanons traduit une légèreté héritée de ses ancêtres arabes.

Doté d'un excellent tempérament, le percheron est calme, obéissant, intelligent et facile à manier. Il possède une action énergique mais fluide, ce qui le rend très confortable sous la selle.

Principalement gris, certains percherons sont noirs ou alezan foncé. Le type le plus petit mesure entre 1,45 m et 1,63 m, tandis que le plus grand atteint 1,75 m et plus.

SELLE FRANÇAIS

La plupart des races célèbres sont issues d'un métissage et le selle français ne fait pas exception à la règle. Les éleveurs de ce superbe cheval de selle de compétition ont travaillé pendant de nombreuses années pour parvenir à cette qualité, utilisant une très grande variété de races pour atteindre leur objectif. La race reçut finalement un statut officiel en 1958.

Le principal ancêtre du selle français est le cheval normand, présent dès le Moyen Âge et lui-même issu du croisement entre des juments locales et des étalons arabes et orientaux importés en France. Le cheval normand était un cheval de guerre très apprécié, mais la lignée fut influencée

La plus noble conquête que l'homme ait jamais faite est celle de ce fier et fougueux cheval, qui partage avec lui les fatigues de la guerre et la gloire des combats.

Georges-Louis Buffon, extrait de *Histoire des Mammifères.*

par des croisements avec des chevaux d'attelage danois et allemands, des pur-sang et des norfolk roadsters. D'autres infusions de sang limousin, charentais et vendéen ont joué un rôle dans la production du selle français moderne.

Les deux races qui ont le plus influencé l'élevage du selle français sont néanmoins le pur-sang et l'anglo-normand. C'est grâce à elles qu'il est devenu un cheval athlétique, qui excelle aujourd'hui en compétition, en concours complet et en saut d'obstacles.

Le selle français est un cheval élégant. La tête est bien attachée, les épaules sont inclinées et les côtes saillantes. Les jambes sont fortes, l'arrière-main est puissante. Naguère divisée en 5 types, la race est aujourd'hui partagée entre chevaux de course et chevaux de concours hippique.

Comme de nombreux chevaux à sang chaud, le selle français est de nature égale et placide, tout en étant intelligent et énergique.

La robe est le plus souvent alezane, bien que d'autres coloris soient acceptés. La taille est comprise entre 1,55 m et 1,65 m.

La France possède une longue histoire en matière d'élevage de chevaux. Le selle français compte parmi ses nombreux succès. Il est l'un des plus élégants chevaux de sport actuels.

ARABE SHAGYA

L'arabe shagya vit le jour à Babolna. Avec Mezöhegyes, il est l'un des deux haras les plus célèbres de Hongrie. Les deux établissements furent fondés à la fin du XVIIIᵉ siècle.

En 1816, un édit militaire ordonna que toutes les juments poulinières soient accouplées avec des étalons orientaux pour produire des chevaux de cavalerie et d'attelage. Des étalons de lignées orientales mélangées furent utilisés ainsi que des chevaux ibériques. Les chevaux issus de ces croisements étaient solides et résistants.

Sur la base de ce succès, on décida que le haras de Babolna se concentrerait sur l'élevage de chevaux de sang arabe, ce qui préfigurait la naissance de l'excellent arabe shagya.

La race actuelle descend d'un étalon arabe nommé Shagya et ramené de Syrie en 1 836. Relativement grand pour un arabe car il avoisinait 1,58 m, il était de la lignée Siglavi ou Seglawy. Cet étalon avait une conformation typiquement arabe, avec un élégant profil concave, une encolure implantée haut, un corps court et un port de queue élevé. Il fut accouplé avec des juments de style militaire pour produire les premiers arabes shagya. Par la suite, l'élevage sélectif mis en place produisit un magnifique cheval de selle de grande qualité. Aujourd'hui, l'arabe shagya est un excellent cheval de loisir et de compétition, utilisé aussi en attelage. Il est resté très populaire dans son pays d'origine, mais demeure relativement rare ailleurs.

Bien qu'il soit un peu plus lourd, le shagya a une conformation très proche de celle de l'arabe. Il a une jolie tête typiquement arabe, avec un large front et un profil droit ou concave. Les oreilles pointues sont alertes, les yeux sont doux. Le museau est fin et délicat, avec des naseaux évasés.

L'encolure est gracieusement arquée, musclée et implantée haut. L'épaule est tombante, la poitrine est large et le passage de sangle profond. Le corps est plutôt court avec des hanches longues et bien définies. Le haut de ses jambes élégantes est bien musclé.

Le shagya a la constitution d'un arabe athlétique et bien charpenté. Gentil, robuste et intelligent, il est aussi rapide et agile.

Héritée de l'étalon Shagya, la robe grise est la plus répandue. Cependant toutes les robes unies sont admises dont la robe noire, très rare. La taille varie de 1,45 m à 1,55 m.

L'action du shagya, comme celle de tous les arabes, est unique. Elle est libre et élastique comme si le cheval marchait sur des ressorts.

SHETLAND

L'archipel des Shetland est constitué d'une centaine d'îles isolées situées au nord de l'Écosse et baignées par un climat difficile, particulièrement l'hiver. Les poneys qui y vivent n'ont que peu d'endroits où s'abriter. La nourriture étant rare, ils se sont adaptés et se contentent de peu pour survivre. Durant les mois d'hiver, ils vivent avec quasiment rien. Ils descendent des collines pour manger les algues échouées sur les plages.

Les origines de ces shetlands ne sont pas clairement établies, mais des restes datant de l'âge de bronze attestent leur présence très ancienne. Ces descendants

Le shetland, probablement apparenté au poney celte, est sans doute le plus célèbre des races de petite taille.

probables du poney celte sont peut-être venus des terres scandinaves en traversant la banquise avant le recul de celle-ci, à moins qu'ils ne soient venus d'Europe.

Traditionnellement, les shetlands étaient utilisés par les insulaires comme poneys de selle, de bât et d'attelage. En 1870, le haras de Londonderry à Bressay en Écosse fixa le type et le caractère de la race. De nos jours, on peut retracer l'ascendance du meilleur cheptel actuel jusqu'aux fameux étalons de Londonderry bien que le haras n'existe plus.

Le stud-book du poney shetland fut ouvert en 1890 pour maintenir la pureté et encourager l'élevage d'animaux de qualité.

La jolie tête du shetland est petite et parfois légèrement concave. Les oreilles sont petites, les yeux sont grands et vifs. L'encolure, les épaules et le garrot sont bien dessinés. La poitrine et les hanches sont fortes et musclées. La crinière et la queue sont abondantes, les jambes sont couvertes de fanons raides. Le pelage est constitué d'une double couche.

Le shetland a un caractère bien trempé et peut se montrer obstiné. À moins d'avoir été correctement entraîné et éduqué, il peut être une monture inappropriée pour un petit enfant en raison de sa force et malgré sa petite taille. Au contraire, dans un environnement adapté et sous le contrôle d'un adulte, le shetland peut faire la joie des enfants.

Les robes alezanes, noires, grises, pie noir et pie bai sont les plus communes.

Le shetland, que l'on mesure en centimètres, atteint une taille maximum de 107 cm. Depuis les années 1980, il existe un type de shetland miniature qui ne dépasse pas 87 cm.

SHIRE

Parmi les races de chevaux de trait, le shire anglais est l'une des plus célèbres et des plus caractéristiques. Surnommé « gentil géant », le shire est aussi le plus grand cheval du monde. Descendant des destriers du Moyen Âge dont la force immense lui permettait de porter au champ de bataille des chevaliers en armure complète, le shire est probablement issu du cheval frison et d'infusions ultérieures de trait belge. Il fut amené en Angleterre par les Hollandais pour drainer les marécages de l'Est-Anglie. Il faut pourtant attendre la fin du XIXe siècle pour que les meilleurs chevaux lourds d'Angleterre soient sélectionnés pour créer la race que nous connaissons aujourd'hui.

Grâce à son immense force, le shire est parfaitement adapté à l'agriculture et au travail de halage. C'est pourquoi la race fut à l'origine établie dans le Lincolnshire et le Cambridgeshire où l'on avait besoin de chevaux forts capables d'évoluer sur les sols lourds de la région des Fens. Le shire se répandit rapidement dans le Staffordshire, le Leicestershire et le Derbyshire, avant d'atteindre toute l'Angleterre.

Jusqu'aux années 1930, le shire était très présent sur l'ensemble du territoire. Sa population chuta considérablement avec l'avènement de la mécanisation en agriculture, à tel point que la race faillit même disparaître. Le danger fut fort heureusement détecté par quelques éleveurs passionnés qui aidèrent à promouvoir la race et à lui restaurer sa gloire passée.

La société du cheval shire a travaillé sans relâche pour lever des fonds et encourager le développement de la race dans d'autres pays. On trouve aujourd'hui

CI-CONTRE : Le shire descend des destriers du Moyen Âge.

CI-DESSUS : Bien que rare, l'utilisation du shire en agriculture n'a pas totalement disparu : celui-ci retourne les foins.

À DROITE : Une jument shire et son poulain.

des sociétés d'encouragement du cheval shire dans toute l'Europe, aux États-Unis, au Canada et en Australie. Bien que l'utilisation du shire en agriculture soit désormais très restreinte, on élève désormais ce cheval pour le plaisir de le faire travailler dans les rôles qui lui étaient traditionnellement attribués.

197

Certains brasseurs les emploient ainsi pour livrer la bière. Ce spectacle est par ailleurs un excellent moyen de publicité. Les concours de labour, très populaires en Angleterre, accueillent aussi de nombreux shires.

Le plus frappant chez ce cheval est sa taille impressionnante et sa conformation massive et musclée. Pouvant atteindre plus d'une tonne à l'âge adulte, c'est le cheval le plus fort et le plus grand du monde. Son poitrail est large, le dos est court, les reins et les hanches sont massifs. Les jambes, les jointures et les pieds sont assez larges pour équilibrer et supporter son propre poids. Le bas des jambes est couvert de longs poils raides et soyeux. Pour le spectacle, on préfère des fanons blancs car ils accentuent l'action du cheval. Malgré sa taille, le shire n'est pas du tout maladroit et est spectaculaire à regarder. Il possède une tête noble, un nez légèrement convexe et de grands yeux qui expriment la sagesse.

Le shire est réputé pour sa patience, sa gentillesse et sa nature placide qui lui valent son surnom de gentil géant. Il est étonnant de constater qu'un animal aussi grand et lourd soit aussi facile à manier. Il n'est d'ailleurs pas rare que des enfants ou des femmes le montent. Sa gentillesse est légendaire.

La robe est noire, baie souvent pommelée, bai brun ou grise. Les marques blanches sont courantes sur la face et appréciées sur les jambes des chevaux de spectacle. Le shire mesure entre 1,67 m et 1,82 m.

On suppose que le shire est le survivant d'un type primitif décrit par les écrivains du Moyen Âge comme le « grand cheval » d'Angleterre. Il serait le descendant du destrier britannique dont la force immense et le courage furent décrits par les chroniqueurs des légions romaines en 55 av. J.-C.

SORRAIA

Le sorraia fut découvert en 1920 dans la péninsule ibérique par le zoologue portugais Ruy d'Andrade qui avait appris qu'une sous-espèce de cheval sauvage vivait encore en Europe. Certains contestaient le fait qu'il s'agissait d'un véritable cheval sauvage et le jugeaient incapable d'avoir pu survivre à l'état pur, sans avoir eu de contact avec des chevaux domestiques.

Après avoir mené des recherches sur les origines génétiques du sorraia, Andrade découvrit que l'animal avait un crâne et des dents similaires aux chevaux andalous et lusitaniens. Il en conclut que le sorraia était l'ancêtre sauvage de ces deux races.

Le sorraia est un poney de couleur

Le sorraia est demeuré une espèce sauvage en raison de l'inaccessibilité de son habitat, une région portugaise située entre les rivières Sor et Raïa.

claire avec une raie de mulet et des zébrures sur les jambes. En raison de sa rareté, la consanguinité est importante mais sa robustesse n'en a pas été affectée.
À première vue, le sorraia ressemble au cheval lusitanien.

Comme la plupart des chevaux sauvages, le sorraia est indépendant et robuste, pouvant survivre avec une maigre pâture et sans abri en hiver. C'est un excellent cheval de bât. D'ordinaire isabelle ou gris, il mesure entre 1,27 m et 1,39 m.

SUFFOLK PUNCH

Le suffolk punch est originaire de l'Est de l'Angleterre. Son nom vient d'une part du comté de Suffolk, d'autre part du mot « punch » qui signifie « gras et court sur pattes ». Remontant sans doute à 1506, le suffolk punch est la race de cheval de trait la plus ancienne de Grande-Bretagne.

La race fut dans un premier temps développée par le croisement de juments indigènes de type lourd avec des étalons normands importés de France. En revanche, les suffolks actuels descendent tous de l'étalon Ufford né en 1 768 et qui appartenait à Thomas Crisp d'Orford. Cet éleveur résidait près de Woodbridge dans le Suffolk. Bien que la race soit relativement pure, des infusions de trotteur du Norfolk, de pur-sang et de cob eurent lieu au cours des siècles suivants.

Doté d'une force immense, le cheval doit son agilité à sa petite taille. Ces qualités, associées à l'absence de fanons sur les jambes à l'instar du percheron, en faisaient un animal idéal pour travailler sur le sol lourd et argileux du Suffolk et du Norfolk. Se contentant de

peu de nourriture par rapport à sa taille, le suffolk punch était capable de travailler des journées durant à la ferme sans s'arrêter.

Comme beaucoup de races lourdes, la population déclina dangereusement avec l'apparition du tracteur. De nos jours,

le suffolk punch est rare même si des efforts ont été réalisés pour relancer l'élevage. Les chevaux sont utilisés dans les concours de labour, très populaires en Angleterre, et sont utilisés par les grands brasseurs.

La robe du suffolk punch est toujours alezane. La race est réputée pour sa grande force. Son corps extrêmement puissant et musclé doté de jambes relativement courtes bénéficie d'un centre de gravité bas, ce qui permet au cheval de tirer des charrues ou des véhicules beaucoup plus facilement. La maturité du suffolk étant précoce, le cheval peut effectuer un travail léger dès 2 ans et peut continuer à travailler jusqu'à l'âge de 20 ans.

Docile et endurant, le suffolk est facile à entretenir. Il mesure entre 1,65 m et 1,75 m.

Au Moyen Âge, tandis que les grands destriers étaient utilisés sur les champs de bataille dans des combats mortels, les fermiers de l'Est de l'Angleterre développaient tranquillement leur race de cheval de trait : le suffolk punch.

CHEVAUX D'EUROPE

SELLE SUÉDOIS

Comme de nombreux chevaux de selle européens, le selle suédois fut développé pour produire un cheval de cavalerie de qualité, fort, endurant, courageux et intelligent.

Au XVIIe siècle, le haras royal de Flyinge croisa de robustes juments autochtones avec de nombreuses races européennes, notamment des chevaux espagnols et frisons ainsi que des barbes et des arabes. Cette méthode aboutit à la création d'un réservoir génétique qui servit de point de départ à la création de la race. Le *stud-book* du selle suédois ouvrit en 1 874.

Avant d'être enregistrés, ces chevaux étaient soumis à des tests rigoureux de conformation, d'action, d'endurance, de tempérament et de performance.

Au cours des cent années qui suivirent, la race fut affinée et améliorée par des infusions de sang hanovrien, trakehner, pur-sang et arabe. Le cheval de demi-sang que nous connaissons aujourd'hui est devenu l'un des chevaux de compétition les plus performants du monde. Il excelle dans les disciplines de dressage, de concours complet, de saut d'obstacles et de courses attelées.

La tête est longue et élégante, avec un profil rectiligne, un museau bien dessiné et des naseaux bien ouverts. Les oreilles sont longues et mobiles, le regard est vif et intelligent. L'encolure arquée est longue et élégante. L'épaule est musclée et inclinée, avec un large poitrail et un passage de sangle profond. Le dos est de longueur moyenne, avec des reins forts et des hanches bien développées. Les jambes longues et musclées ont de larges articulations et sont terminées par des sabots solides et bien dessinés.

Le selle suédois est doué en saut et possède d'excellentes allures. Toutes les couleurs de robe sont possibles. Ce cheval enthousiaste, obéissant et intelligent mesure entre 1,63 m et 1,73 m.

Le selle suédois dont les allures sont fluides et élastiques, est devenu un excellent cheval de saut et de dressage, idéal en complet.

TERSKY

Le tersky ou terek est un véritable cheval de performance, spécialisé en saut, en endurance, en course hippique, et en dressage. Il possède non seulement d'excellentes capacités sportives et athlétiques, mais est aussi l'un des plus beaux chevaux russes.

Originaire du nord du Caucase, l'élevage est désormais concentré au haras de Stavropol. Il se déroulait auparavant dans les steppes où les sujets les plus faibles se faisaient dévorer par les loups ou mouraient de maladie. Cette lutte pour la survie rendit néanmoins la race plus résistante.

La race moderne fut créée au début du XXᵉ siècle. Les derniers arabes strelets, obtenus par croisement entre anglo-arabes et trotteurs d'Orlov, servirent de souche fondatrice au tersky moderne. La race fut développée par croisement entre arabes et terskys de type ancien. Du sang pur-sang fut ensuite introduit.

Il existe trois types de tersky. Le premier léger, élégant et très arabisé est de type oriental. Le deuxième, plus substantiel et plus robuste, possède un dos plus long et est plus charpenté, tandis que le troisième est un type massif qui a bénéficié d'un apport de sang trakehner.

Le tersky est un cheval de taille moyenne et d'une grande beauté héritée de ses ancêtres arabes. La tête élégante arbore un profil concave, de grands yeux intelligents et des naseaux ouverts.

Doté d'un tempérament stable, il est gentil, intelligent, courageux et résistant.

La robe est le plus souvent grise avec un éclat argenté. Le noir, l'alezan et le bai sont également possibles. La taille des chevaux est comprise entre 1,45 m et 1,55 m.

Le tersky est un cheval de sport de haut niveau possédant la résistance, la grâce et la beauté d'un arabe.

205

PUR-SANG

Le pur-sang est sans doute la race la plus importante de toutes et la race britannique la plus célèbre. Son histoire remonte au XVIIᵉ siècle. Les fermiers et les propriétaires terriens anglais s'intéressaient alors de plus en plus aux courses hippiques. Auparavant, des courses étaient organisées avec des chevaux locaux qui n'étaient pas spécialement élevés dans ce but. Or il devint rapidement évident qu'un programme d'élevage sélectif devait être mis en place pour que les chevaux remplissent les objectifs. La popularité du sport hippique auprès du grand public ainsi que l'attrait des paris contribuèrent à accélérer l'élevage du pur-sang.

Les propriétaires terriens les plus fortunés s'aperçurent que les chevaux locaux étaient résistants, mais manquaient de vitesse. De 1689 à 1729, on commença à importer des chevaux du Moyen-Orient pour améliorer le cheptel. Le pur-sang moderne est donc issu de trois de ces étalons : Byerley Turk, Darley Arabian et Godolphin Arabian qui menèrent tous une longue carrière au haras. Chacun est l'ancêtre de l'un des trois étalons (respectivement Herod, Eclipse et Matchem) qui engendrèrent trois lignées fondatrices distinctes de pur-sang anglais. La race porte officiellement le nom de pur-sang depuis 1 821.

Bien que le pur-sang fût élevé pour les courses hippiques, ses qualités font de lui un cheval idéal dans de nombreuses autres disciplines équestres comme le concours complet, le saut d'obstacles, le dressage, etc.

Le pedigree de tous les pur-sang enregistrés au stud-book général ouvert en 1791 remonte aux trois étalons arabes fondateurs. De nos jours, des pur-sang participent à des courses hippiques dans plus de 50 pays du monde.

Non seulement le pur-sang a été largement exporté pour améliorer les chevaux de course, mais il a aussi servi comme améliorateur à des centaines de races du monde entier.

Les descendants des trois étalons fondateurs arrivèrent aux États-Unis dans les années 1 730. Récemment, un type de pur-sang américain distinct est apparu. C'est un cheval dont les membres

Le premier cheval pur-sang à avoir foulé le sol américain s'appelait Bulle Rock et fut importé par Samuel Gist de Virgini en 1730.

postérieurs plus longs permettent des foulées plus longues. La croupe est également plus haute que le garrot.

Le pur-sang est un superbe animal athlétique avec de longues jambes nettes, une robe fine et soyeuse, un profil élégant et un corps musclé. Ses grands yeux sont intelligents et ses oreilles finement sculptées. Endurant, résistant et rapide, le pur-sang est le roi des pistes de sport hippique.

Il suffit d'assister à un *steeple-chase* pour comprendre à quel point le pur-sang est un cheval courageux, honnête et audacieux. Parfois décrit comme nerveux

et instable, ce qui est le cas de certains individus plus sensibles que d'autres, le pur-sang reste une monture de rêve.

Toutes les couleurs simples (bai, bai brun, alezan, gris, noir) sont admises. La taille varie généralement entre 1,55 m et 1,65 m.

Les chevaux adorent la liberté et le plus vieux, le plus lourd des chevaux de trait se roule dans l'herbe ou se lance dans un galop maladroit lorsqu'il se retrouve, libre en plein air.

Gerald Raftery

TRAKEHNER

Le trakehner est le plus élégant des sang chaud et est celui dont le caractère est le plus proche du pur-sang. De nos jours, il est essentiellement utilisé en compétition, notamment en dressage et en concours complet en raison de ses qualités athlétiques et de ses allures.

L'histoire du trakehner remonte à 1 732 et est particulièrement heurtée. Le premier haras fut fondé à Trakehnen en Prusse orientale (actuelle Lituanie) qui était alors une province du royaume de Prusse. Le haras qui était la principale source d'étalons pour l'ensemble de la Prusse devint rapidement célèbre pour ses élégants chevaux carrossiers.

La race fut créée en accouplant des juments natives de la région avec des étalons pur-sang et arabes, ces infusions apportant au trakehner sa vitesse et son endurance. En 50 ans, on décida non plus de produire des chevaux carrossiers, mais des destriers

L'encolure et les épaules sont bien proportionnées, le dos est court et fort et les hanches sont puissantes. Les jambes sont fortes et droites, produisant une action franche et puissante.

Aimable, obéissant et courageux, le trakehner fait preuve d'un excellent tempérament. Tout en ressemblant au pur-sang, il n'en possède pas le tempérament instable. C'est pourquoi les éleveurs le préfèrent parfois au pur-sang comme améliorateur de race.

Toutes les couleurs unies sont admises et sa taille moyenne se situe autour de 1,60 m.

destinés à la cavalerie. Ce programme se poursuivit jusqu'à la Seconde Guerre mondiale, époque à laquelle le haras fut entièrement détruit. Peu avant la fin du conflit, un millier de chevaux furent heureusement sauvés et déplacés à l'ouest, accompagnés par des réfugiés qui fuyaient l'invasion russe. Bien que certains chevaux périrent en chemin à cause des conditions très dures, un nombre suffisant survécut pour perpétuer la race. Aujourd'hui, l'élevage de trakehners est redevenu prospère dans son pays d'origine et ailleurs.

D'apparence, le trakehner ressemble à un pur-sang charpenté. La tête élégante respire l'intelligence et la curiosité. Le profil rectiligne évoque celui du pur-sang.

Le trakehner est la race à sang chaud la plus pure car son stud-book *est fermé.*

213

LES PONEYS WELSH

Les chevaux sont présents au pays de Galles depuis 10 000 ans. La race indigène qui peuplait les collines était le poney celte. C'est pourquoi l'on suppose que toutes les races galloises actuelles, c'est-à-dire les différents types de poneys welsh, sont issues de cette ancienne race.

On a la preuve que l'on élevait des chevaux locaux au pays de Galles vers 50 av. J.-C. Jules César qui avait fondé un haras à Merionethshire introduisit dans la race du sang arabe. Les poneys welsh et les welsh cobs sont mentionnés pour la première fois dans les lois du roi gallois Hoël le Bon (Hywel Dda en gallois) rédigées en 930 apr. J.-C.

Au fil des siècles, les poneys sauvages d'origine subirent des évolutions. Au début du XXe siècle, la *welsh pony and cob society* identifia les quatre types décrits ci-dessous. Le premier, le welsh mountain pony (ou welsh mountain ou poney gallois des montagnes) classifié en type A, ne dépasse pas 1,22 m. Il est à la base des autres types de welsh. Le poney welsh de type B ne dépasse pas 1,32 m. Le poney welsh de type cob mesure jusqu'à 1,40 m (type C). Enfin le welsh cob toise entre 1,40 m et 1,57 m (type D).

Le welsh mountain (type A) est la race galloise la plus ancienne. Robuste et résistant, il est doté de bonnes jambes et d'une bonne constitution. Intelligent, agile et endurant, le welsh mountain est capable de survivre aux hivers les plus rudes. Ces poneys sont désormais répandus dans le

PAGES 214 – 215 : Le welsh mountain est un excellent poney polyvalent.

PAGES 216 – 217: Welsh cob de type D.

monde entier et sont appréciés en tant que montures pour enfants ou en attelage.

La tête raffinée possède un museau pointu, de petites oreilles dressées et de grands yeux curieux. Avec son profil concave, le welsh mountain ressemble à un arabe. L'encolure, le garrot bien défini et les hanches sont proportionnels au reste du corps tandis que le port de queue est élevé. Les membres sont droits avec de bonnes articulations et les sabots sont petits, ronds et solides.

Le welsh mountain a beaucoup de personnalité et de charme, ayant hérité de l'intelligence et de la présence d'esprit des poneys sauvages d'origine. En action, les allures sont souples.

La robe est généralement grise, bien que toutes les couleurs simples soient admises.

Le poney welsh de type B possède tous les meilleurs attributs du welsh mountain. Les éleveurs ont en outre accentué ses qualités de poney de selle. Ayant été utilisé pendant plusieurs générations comme gardien de moutons, il est lui aussi très robuste et agile.

Doué pour le saut et doté d'une excellente conformation pour l'équitation, ce poney est une parfaite monture pour les enfants.

Le poney welsh a de nombreux points communs avec le welsh mountain. Sa tête est élégante avec de petites oreilles dressées, un profil légèrement concave et de grands yeux intelligents. L'encolure, le dos et les hanches sont musclés et bien proportionnés, la queue est implantée haut. Les membres droits et forts sont terminés par des sabots solides et arrondis.

Courageux, énergique et enthousiaste, le poney welsh donne toujours le meilleur de lui-même.

Comme le welsh mountain, la robe est le plus souvent grise mais toutes les couleurs simples sont admises.

Le poney welsh de type cob section C était utilisé à l'origine pour les travaux fermiers et comme poney de bât dans les carrières d'ardoise. De la même taille que le poney welsh, il est cependant plus robuste et capable de porter des charges plus lourdes. Il fut davantage employé en attelage que sous la selle. Il a sans doute hérité du hackney son action naturellement prononcée.

Il possède l'apparence générale d'un petit cob. Ses yeux très espacés expriment l'intelligence. Comme les autres, les oreilles sont petites et dressées. Le corps et les jambes sont plus robustes et plus proches du type cob que chez les autres poneys welsh, les pieds sont plus grands. La queue et la crinière sont abondantes.

Vif et enthousiaste, le poney welsh de type cob possède le même tempérament que les autres races galloises. Il réalise de bonnes performances sous le harnais et est naturellement doué pour le saut.

Toutes les robes de couleurs simples sont admises. En spectacle, les poneys pourvus de balzanes haut chaussées sont davantage prisés.

De toutes les races galloises, le welsh cob (section D) est le plus célèbre. Admiré pour sa beauté et ses allures extravagantes, il est non seulement un cob de travail de grande qualité, mais il fascine également les spectateurs en représentation.

La race fut créée au XIe siècle et portait alors le nom de powys cob ou powys rouncy. Dans les veines du welsh cob coule le sang du welsh mountain pony, amélioré par des imports venus de tout l'empire romain. Des races d'Espagne comme le cheval andalou et d'Afrique du Nord comme le barbe et l'arabe, furent croisées avec la première variété de welsh cob. Aux XVIIIe et XIXe siècles, d'autres races furent également introduites comme le hackney et le carrossier du Yorkshire.

La Welsh Pony and Cob Society fut créée en 1901 et le premier stud-book ouvrit l'année suivante. C'est à partir de 1949 que l'on établit 4 sections (ABCD) pour distinguer les races galloises (welsh).

Traditionnellement utilisé tant par l'armée que par les fermiers, le welsh cob est si polyvalent qu'il était autrefois employé par tous ceux qui avaient besoin d'un moyen de transport ou de halage.

Compact et bien musclé, le welsh cob est fort et bien équilibré. Sa tête élégante possède de grands yeux intelligents et de petites oreilles dressées. L'encolure est arquée et musclée, le dos est court et les hanches sont puissantes et arrondies. Les jambes droites et robustes sont terminées par des pieds solides et arrondis bien proportionnés au corps de l'animal.

Le welsh cob est fier, courageux et extravagant en action. Il convient dans toutes les disciplines et pour tous les cavaliers.

Toutes les couleurs simples sont admises.

WESTPHALIEN

Comme la plupart des demi-sang européens, le westphalien est issu d'une race lourde ancienne native de Westphalie. Des juments locales à sang froid furent croisées avec des pur-sang pour produire une race à sang chaud. Le premier westphalien fut enregistré en 1826, date à laquelle fut ouvert le *stud-book*.

Pendant plusieurs années, le cheval fut utilisé pour l'équitation et le travail de trait léger avant que l'on décide d'améliorer la race à la fin de la Seconde Guerre mondiale.

Le choix du pur-sang et de l'arabe pour la vitesse, l'endurance et l'intelligence, mais aussi du hanovrien qui apporta son bon sens et son obéissance, s'avéra excellent, combiné avec les chevaux du cheptel existant.

Le westphalien actuel est un superbe cheval de selle et de compétition. Il fit une entrée fracassante dans le monde de la compétition équestre à la fin des années 1970. De nos jours, il excelle en dressage et en concours complet.

Sa tête bien faite présente des oreilles bien écartées, un profil rectiligne et des yeux intelligents. L'encolure est longue et bien développée avec un garrot saillant, un dos droit, des reins forts et des hanches musclées. L'épaule est tombante, la poitrine est large et le passage de sangle profond. Les jambes sont fortes et bien proportionnées.

Courageux et obéissant, le westphalien est facile à manier. Toutes les couleurs simples sont autorisées avec des petites balzanes et des marques en tête. Il mesure entre 1,55 m et 1,68 m.

Le westphalien est doué pour le saut d'obstacles, le dressage et le concours complet.

CHAPITRE III
CHEVAUX DU MOYEN-ORIENT ET D'ASIE

Originaire du Turkménistan, une république d'Asie centrale située entre la mer Caspienne et l'Afghanistan, l'akhal-téké descend vraisemblablement du cheval turkoman ou turkmène, une race ancienne qui existait il y a des milliers d'années et qui est malheureusement éteinte. Son nom vient de la tribu des Téké qui habite dans l'oasis d'Akhal dans le désert de Karakum près de la frontière iranienne. Les chevaux sont gardés en troupeaux sous la surveillance de cavaliers. Ce cheval du désert à l'allure aristocratique est long et fin. Bien qu'étant l'élégance personnifiée, il possède une constitution robuste et peut se passer d'eau pendant de longs laps de temps. Dans leur environnement naturel, les cavaliers prennent grand soin de leurs montures : ils les couvrent d'épaisses couvertures pendant les périodes de chaleur ou de froid extrême. Autrefois, les chevaux étaient nourris à la min et recevaient un régime alimentaire riche en protéines qui comprenait des œufs et de la graisse de mouton.

Historiquement, ce « divin » cheval était admiré par de grands guerriers comme Alexandre le Grand, Darius le Mède et Genghis Khan. Marco Polo loua les qualités du cheval turkoman dans ses *Voyages*. De nos jours, l'akhal-téké qui est un cheval très agile et athlétique, participe à des compétitions de course et d'endurance.

Lors d'un test d'endurance en 1935, 15 akhal-tékés parcoururent environ 4 000 km entre Achgabat et Moscou, dont 400 km dans le désert de Karakum. Le voyage dura environ 84 jours.

La conformation de l'akhal-téké rompt avec tous les critères habituels. Le port de tête est haut, l'encolure longue et étroite forme un angle de 45 degrés avec le corps, ce qui lui donne un air altier. Sa tête raffinée et élégante possède des joues larges, de grands yeux vaillants et expressifs. Les naseaux sont secs et largement évasés, les oreilles sont mobiles et bien dessinées. Bien que les épaules soient larges et inclinées, la poitrine est assez étroite. Le corps est relativement court, arrondi et peu profond. Le passage de sangle est assez étroit et les jambes semblent proportionnellement trop longues par rapport au reste du corps. Ses sabots sont petits et effilés.

L'akhal-téké possède une action extraordinairement fluide et puissante. Le terrain désertique sur lequel il évolue a probablement influencé la forme de ses paturons, unique à la race.

Le cheval a la réputation d'être entêté, rebelle et sauvage, doté d'un mauvais tempérament. Il doit être éduqué de main ferme par un maître en qui il peut avoir confiance. C'est un animal intelligent qui nécessite un entraînement attentif et adapté. Détestant être puni, il peut être vindicatif. Ne supportant pas la vie en étable, il a besoin de beaucoup d'espace en extérieur.

La robe peut être alezane, baie, grise, palomino, noire et isabelle. Toutes les couleurs, en dehors du noir corbeau, sont irisées. Il toise à environ 1,55 m. Mais son garrot saillant et son port de tête élevé donnent l'impression qu'il est plus grand.

ARABE

L'arabe est l'une des races à sang chaud les plus anciennes. Son sang coule dans les veines de nombreuses races modernes d'Europe et des États-Unis. En fait, le terme arabe n'est pas très approprié car l'arabe d'origine était probablement un petit cheval sauvage de type oriental qui vivait en Europe de l'Est, au Proche-Orient et au Moyen-Orient. La race arabe fut ensuite développée par l'Islam qui l'assimila. Les conquérants musulmans l'utilisèrent comme cheval de cavalerie. Les pur-sang arabes modernes sont issus de cinq juments sélectionnées pour leur obéissance et désignées par le terme *al-khamesh* (qui

Le bonheur est fait de trois choses sur terre,
qui sont : un beau soleil, une femme,
un cheval !

Théophile Gautier, extrait de *Poésies*

signifie « les cinq »). Elles sont à l'origine de cinq lignées ou types.

Pour les Bédouins, tribu nomade du désert, l'arabe représentait aussi beaucoup. Des tablettes qui contiennent les noms de la jument Baz et de l'étalon Hoshaba indiquent que les Bédouins commencèrent à élever des chevaux arabes dès 3 000 av. J.-C.

La race moderne est appelée arabe car au XIX⁰ siècle, le cheptel de reproduction fut importé de la péninsule arabe vers la Grande-Bretagne. L'arabe est à l'origine de la race pur-sang (anglais). Métissé à d'autres races qu'il améliore considérablement,

Les éleveurs bédouins apprenaient par cœur
la généalogie de leurs chevaux, veillant à la
pureté de la race arabe qui est demeurée
l'une des races les plus pures génétiquement.

il transmet fidèlement ses qualités.

La grande beauté du pur-sang arabe occulte parfois ses autres qualités comme sa force et sa résistance. Cet excellent cheval de selle s'illustre dans les compétitions équestres comme le dressage et les classes de présentation en main. Il excelle aussi dans les disciplines qui font appel à sa force

comme l'endurance et les courses de plat. Les arabes ont la réputation d'être de piètres sauteurs, ce qui n'est pas tout à fait vrai : ils apprécient l'exercice mais leur manque d'agilité les empêche de concourir à un haut niveau.

La tête est courte et raffinée, avec un profil concave, un museau effilé et des naseaux très ouverts. Les grands yeux sont très écartés, les oreilles sont petites, mobiles et bien dessinées. La mâchoire est arrondie, l'encolure est incurvée en arc (*mitbah*).

Le dos est légèrement concave, l'épaule est inclinée et le garrot saillant. Le port de queue est élevé, la croupe harmonieuse et le passage de sangle profond. Les jambes sont fortes et nettes, avec des genoux plats, des canons courts et des tendons marqués. Les sabots sont durs et solides. Le squelette comprend moins de vertèbres que chez les

Bien que sa finesse laisse penser qu'il est très fragile, le pur-sang arabe est en fait très rustique. Son endurance est hors du commun.

autres chevaux : 5 lombaires, 17 côtes et 16 caudales, contre respectivement 6, 18 et 18 chez les autres races.

L'action de l'arabe donne l'impression qu'il flotte dans les airs. Originaire du désert, il possède une peau très fine qui lui permet d'évacuer la chaleur. Plus robuste que le pur-sang, il nécessite pourtant des soins spécifiques en hiver.

L'arabe est réputé pour son intelligence, sa réceptivité, sa gentillesse avec les enfants. Affectueux envers l'homme et les autres animaux, il est ardent et courageux mais peut faire preuve d'entêtement.

Toutes les couleurs simples sont admises. L'arabe toise entre 1,42 m et 1,57 m.

CHEVAL DE LA CASPIENNE

Le cheval de la Caspienne serait avec le cheval de Przewalski l'une des plus anciennes races du monde. Bien que domestiqué, il descendrait en ligne directe d'un cheval oriental préhistorique dont les ossements fossiles retrouvés en Iran correspondent au squelette du cheval de la Caspienne. Une reproduction de ce cheval figure sur le seau de Darius le Grand, roi de Perse (Iran) vers 500 av. J.-C. Le cheval de la Caspienne est probablement l'ancêtre lointain de l'arabe et donc de plusieurs races.

On pensait que ce petit cheval s'était éteint vers le Xe siècle. Or on découvrit en 1965 quarante de ces chevaux dans les monts Elbourz. Ils furent envoyés en Angleterre où une société d'élevage fut fondée pour préserver cette race rare et ancienne. Des haras furent depuis créés partout dans le monde.

Aujourd'hui, ce cheval de petite stature est une monture idéale pour les enfants et son tempérament doux, stable et coopératif convient parfaitement aux débutants.

Le cheval de la Caspienne est typiquement oriental. Sa tête ressemble à celle d'un pur-sang miniature. Petite et fine, elle comporte de petites oreilles alertes, un profil rectiligne et de larges naseaux. Ses grands yeux sont intelligents. L'encolure est gracieusement arquée, forte et élégante. L'épaule est inclinée et le corps est étroit.

Bien qu'étant de la taille d'un poney, il s'agit véritablement d'un cheval qui possède toutes les qualités d'un excellent cheval de selle. Affectueux, intelligent et obéissant, c'est aussi un très bon cheval d'attelage léger.

Le cheval de la Caspienne est le plus souvent bai, alezan et gris. Sa taille est comprise entre 1,02 m et 1,22 m.

Le cheval de la Caspienne est peut-être la race la plus ancienne au monde, ce qui ferait de lui l'ancêtre du pur-sang arabe.

KATHIAWARI

Certains pensent que le kathiawari serait le descendant des chevaux apportés en Inde par Alexandre le Grand. Selon une autre hypothèse, ils seraient issus des chevaux sauvages de Kathiawari. Cette race découverte il y a un peu plus de cent ans n'est pourtant pas des plus attractives : assez petite et chétive, elle possède un corps étroit. Elle n'est cependant pas dénuée d'atouts qui la rendent fort utile : robustes, endurants et très résistants, les chevaux sont d'une grande frugalité et capables de travailler toute la journée. Ils ont de bons pieds durs et solides s'adaptant à des terrains irréguliers.

Le cheptel d'origine reçut des apports de sang arabe, ce qui améliora considérablement la conformation. Cette race est principalement présente dans l'État du Gujerat en Inde qui comprend les villes de Rajkot, Bhavnagar, Surendranagar, Junagadh et Amreli.

L'une des caractéristiques les plus frappantes du kathiawari est ses oreilles dont les pointes tournées vers l'intérieur se touchent presque lorsqu'il les dresse. De plus, elles sont extrêmement mobiles, pouvant tourner à 180 degrés. La tête allongée présente un profil légèrement concave. Le front est large, les yeux sont grands et intelligents. Son ascendance arabe est visible au premier coup d'œil : il possède des jambes élégantes, avec une tendance aux jarrets coudés.

Le kathiawari est souvent alezan, mais la plupart des couleurs simples existent. Le bai, le gris, l'isabelle sont également possibles. Les chevaux mesurent entre 1,42 m et 1,52 m.

Très mobiles, les oreilles du kathiawari peuvent tourner à 180° et se recourber vers l'intérieur en se touchant presque.

MARWARI

Le marwari, originaire de la région du Marwar au Rajasthan, ressemble au kathiawari, mais est beaucoup plus grand. Il fut souvent représenté dans l'art indien. Le marwari possède une cinquième allure appelée *revaal*, une action longue et fluide avec peu de mouvement vertical, ce qui est très confortable pour le cavalier.

La population des marwari déclina pendant l'occupation britannique de l'Inde. Aujourd'hui, grâce aux familles Rajput survivantes et aux admirateurs de la race, le marwari est sauvé de l'extinction. Il est utilisé comme cheval de danse et participe aux mariages et aux festivals. La danse qu'il pratique est une forme de haute école qui avait été enseignée au cheval lorsqu'il servait jadis de destrier.

Il possède un port de tête élevé et altier, un profil rectiligne ou légèrement concave, des oreilles recourbées vers l'intérieur qui se touchent presque. Ses grands yeux sont vifs et intelligents. L'encolure arquée est de longueur moyenne. Son pelage est fin et

La littérature du Rajasthan parle beaucoup des fabuleux exploits du marwari, capable de franchir des murs très hauts.

soyeux. Le marwari possède un panache extraordinaire et adore être en représentation. C'est aussi un animal robuste capable de survivre dans des conditions difficiles. Courageux et intelligent, c'est un travailleur énergique.

Toutes les couleurs de robe existent. La taille varie entre 1,52 m et 1,62 m.

CHEVAL DE PRZEWALSKI

Cette race très ancienne est également connue sous le nom de cheval de Mongolie ou cheval sauvage (des steppes) d'Asie (centrale). Les chevaux primitifs de ce type étaient chassés par l'homme il y a 20 000 ans. On peut voir en France et en Espagne des peintures rupestres datant de la préhistoire et représentant des chevaux semblables (grotte de Lascaux par exemple). Aucune observation de chevaux de Prjewalski n'ayant été faite depuis plus de 30 ans, la race est sans doute éteinte à l'état sauvage. Seul et unique cheval véritablement sauvage, le cheval de Prjewalski est l'ancêtre du cheval domestique.

On trouve une première trace de son existence au IXe siècle. Il est de nouveau mentionné en 1226 : un troupeau de chevaux sauvages aurait fait tomber de cheval Ghengis Khan, le fondateur de l'empire mongol.

En raison de son isolement et de la férocité avec laquelle les étalons protègent les juments, le sang du cheval de Mongolie est resté pur depuis ses ancêtres primitifs.

La race doit son appellation moderne au colonel de l'armée impériale russe Nikolaï Mikhaïlovitch Przewalski qui révéla son existence au monde occidental. En 1881, cet explorateur avait acquis les restes d'un cheval sauvage par des chasseurs qui les avaient découverts dans le désert de Gobi.

Il les apporta au muséum de zoologie de Saint-Pétersbourg. Là, le naturaliste I.S. Poliakoff qui les examina conclut qu'ils appartenaient à une espèce de cheval sauvage primitif. Après cette découverte, certains de ces chevaux furent capturés vivants et placés en captivité dans des zoos et des parcs naturels pour les sauver de l'extinction totale.

En captivité, la population s'est rapidement accrue. Elle est désormais soigneusement contrôlée par le zoo de Prague qui tient le *stud-book* de la race. Les chevaux sont gardés dans des conditions les plus naturelles possibles. Certains ont été relâchés dans la nature en Chine, en Russie et en Mongolie où ils sont une espèce protégée. Il existe aussi un cheptel en France.

Le cheval de Przewalski est robuste et possède une crinière brun foncé en brosse. La tête est de longueur moyenne, avec un front large et un profil rectiligne ou légèrement concave. Les yeux assez petits sont placés haut sur la tête. Le museau tronqué comporte des naseaux petits et situés assez bas. L'encolure est courte et épaisse. Le dos peut être assez long et les membres sont fins, avec des pieds allongés et résistants.

Le cheval de Przewalski ne peut pas s'apprivoiser et devient agressif s'il se sent menacé. Très robuste, il ne nécessite aucun soin particulier.

Le louvet jaune est la couleur de robe la plus commune, mais peut varier de louvet roux à louvet crème. La présence d'une raie de mulet sur le dos et de rayures sur les membres atteste de son caractère primitif. Sa taille varie entre 1,22 m et 1,42 m.

Le cheval de Przewalski fut chassé pendant des siècles par les Chinois et les Mongoles pour sa viande. Le déclin de l'espèce s'accélera avec l'apparition des armes à feu.

CHAPITRE IV

CHEVAUX D'AFRIQUE

BARBE

L'origine du barbe est ancienne. Sa patrie est située en Afrique du Nord, dans l'antique Barbarie qui correspondait à une partie du littoral méditerranéen et qui s'étendait du Maroc jusqu'en Égypte. C'est là qu'il y a 2 000 ans, l'armée d'Hannibal élevait ses chevaux de cavalerie.

La race fut probablement influencée très tôt par le pur-sang arabe introduit en Afrique du Nord par les Arabes, ainsi que par des chevaux de type oriental à sang chaud. Un grand nombre d'entre eux fut importé vers l'Europe, notamment en Angleterre où l'on trouve de nombreuses références aux chevaux de « Barbarie », le plus célèbre étant celui de Richard II. Ils devinrent là

aussi des chevaux de cavalerie appréciés pour leur vitesse et leur grande résistance. Aujourd'hui, il est difficile de trouver un barbe de pure race. Les nombreux croisements pratiqués au Maghreb avaient en effet pour unique but de produire un bon cheval de selle.

Le barbe n'est ni aussi beau ni d'un aussi bon tempérament que l'arabe avec qui on le

compare souvent. Pourtant son influence sur les autres races est considérable, notamment en Europe et sur le continent américain. Le cheval andalou d'Espagne, le poney connemara d'Irlande, le pur-sang d'Angleterre et même le criollo d'Amérique du Sud ont tous du sang barbe qui coule dans les veines.

De nos jours, le barbe est utilisé pour l'équitation de loisir, les courses et l'exhibition. Il est très populaire dans sa région d'origine mais demeure relativement méconnu ailleurs.

Élevé pour vivre dans le désert, le barbe est plutôt léger. Sa tête est longue et étroite, avec un profil légèrement concave et des oreilles dressées de longueur moyenne. Son regard est doux et intelligent. L'encolure fortement arquée est de taille moyenne. Le garrot est proéminent et l'épaule plate. Les membres sont fins et solides, avec des sabots durs et bien formés comme chez beaucoup de chevaux du désert. La queue, portée bas, ainsi que la crinière sont fournies. Le barbe n'est pas un animal très

affectueux et est facilement irritable. Il est cependant renommé pour sa robustesse, sa vitesse et son extrême endurance.

Les vrais barbes sont noirs, bais ou bai brun. Leur taille varie de 1,44 m à 1,54 m.

Créée en Algérie en 1987, l'organisation mondiale du cheval barbe a pour but de préserver la race. Difficile en revanche de dire à quel point sa pureté a été affectée…

BASUTO

Le basuto est originaire du Lesotho, autrefois appelé Basutoland, une enclave d'Afrique du Sud. Principalement élevé par les Bantous, le basuto fut développé à partir du cheval du Cap au XIXᵉ siècle. La race faillit disparaître au début du XXᵉ siècle à cause de croisements hasardeux avec des pur-sang, des chevaux indonésiens et espagnols destinés à lui donner plus de substance.

Le basuto fut finalement sauvé par une société créée pour améliorer et faire renaître la race à la fin du XXᵉ siècle. En plus du pas, du trot et du galop, le basuto possède deux allures supplémentaires, le *triple* et le *pace*.

La tête est plutôt grande, avec une encolure courte et sous-développée. Le corps et les membres sont forts et secs, avec des sabots solides. De récents programmes d'élevage ont permis d'améliorer le basuto : l'encolure est désormais mieux dessinée et la tête est plus élégante.

Robuste et frugal, le basuto est capable de survivre dans l'adversité. Ce cheval rapide a le pied sûr et n'est pas craintif. Il est uniquement utilisé pour l'équitation car au Lesotho, le travail de trait est réalisé par le bétail.

Toutes les couleurs de robe sont possibles, y compris le gris. Le basuto mesure environ 1,45 m.

Le cheval du Cap est l'ancêtre du basuto (ci-dessous et ci-contre) et nooitgedachter.

BOERPERD

Le boerperd est directement lié à l'histoire de la colonisation de l'Afrique du Sud par les blancs (les Afrikaners ou Boers) et à l'arrivée des Hollandais à Cape Town en 1 652.

Les premiers chevaux de la région étaient de sang oriental et avaient été importés de Java. Ils furent à leur tour vendus par les Hollandais en 1 665. Au fil des ans, la consanguinité s'était installée et on adopta des mesures pour améliorer la race par un apport de sang arabe.

Cette pratique se poursuivit pendant 150 ans jusqu'à l'émergence d'un type bien défini, appelé cheval du Cap. Pendant ce temps, certaines races ibériques arrivèrent au Cap en 1793, provoquant ou non des effets sur les chevaux locaux. À la fin du XVIIIe siècle et au début du XIXe siècle, les chevaux du Cap demeuraient très en vogue, appréciés pour leur endurance, leur résistance, leur rapidité et leur intelligence, autant de qualités qui les rendaient très utiles dans un rôle militaire.

Au fil des ans, la race continua d'être améliorée par des apports de chevaux flamands, de sang hackney, trotteur du Norfolk et bai de Cleveland. La race survécut encore malgré la maladie et la guerre des Boers dans laquelle les chevaux prouvèrent leur valeur.

L'apparence du boerperd (terme afrikaans qui signifie cheval de ferme) est marquée par ses ancêtres orientaux et arabes. Sa petite tête au profil rectiligne ou légèrement concave possède un petit museau avec les naseaux bien ouverts. Le regard est vif et intelligent, les oreilles sont alertes. Le corps est court et compact, l'épaule bien inclinée. Les membres sont musclés et bien proportionnés. Les sabots sont solides et bien dessinés.

Le boerperd est courageux, intelligent, résistant et agile. La plupart des couleurs simples existent, y compris le gris. La taille des chevaux varie entre 1,47 m et 1,57 m.

L'histoire du boerperd est liée à celle des colons blancs d'Afrique du Sud.

CHAPITRE V

CHEVAUX D'AUSTRALIE

PONEY AUSTRALIEN

Du temps de la colonisation de l'Australie, de nombreux chevaux furent importés et prirent part de manière active à la vie du continent. En revanche, les poneys qui furent importés ne parvinrent pas à attirer une quelconque attention avant la fin du XIXᵉ siècle, époque à laquelle émergea un nouveau type de race. Dans les années 1920, la race commença à être reconnue et un *stud-book* fut finalement ouvert.

Le poney australien est un métissage de plusieurs races : welsh, pur-sang, arabe, shetland et exmoor pour ne citer qu'elles. Ces races sont désormais si amalgamées qu'aucune caractéristique dominante ne ressort vraiment, si ce n'est peut-être les influences welsh et arabe perceptibles au niveau de la finesse de la tête et des membres. Le poney australien est extrêmement polyvalent : bon sauteur, il est suffisamment fiable pour les enfants et parfait pour la randonnée et l'endurance.

Les poneys australiens sont aujourd'hui utilisés en dressage, en concours complet et en saut d'obstacles.

Chez le poney australien, ce qui est le plus frappant est sa tête, très marquée par l'influence arabe. Les oreilles sont courtes, bien espacées et bien formées. Le front est large, les grands yeux sont doux. Le profil est légèrement concave avec des naseaux légèrement ouverts et un élégant museau. L'encolure bien développée porte une crinière flottante et soyeuse. Le garrot saillant descend vers un dos long et des hanches bien développées. Les membres sont effilés avec des tendons forts et des canons courts. Les sabots sont durs et bien dessinés.

Le poney australien est assez léger et ses ancêtres de type sang chaud sont visibles

Sans mors, sans éperon, sans bride,
Partons à cheval sur le vin
Pour un ciel féerique et divin !
Nous fuirons sans repos ni trêve,
Vers le paradis de mes rêves !

Charles Baudelaire

immédiatement. Il est pourtant très robuste et très résistant. Doté d'une bonne constitution, il est d'un entretien facile, idéal pour les enfants, doux et obéissant.

Toutes les couleurs de robe sont possibles, avec des marques blanches sur la tête, les membres, mais pas sur le corps. La taille du poney australien varie entre 1,22 m et 1,42 m.

AUSTRALIAN STOCK HORSE

L'histoire de l'australian stock horse, jadis appelé waler, commença au XVIIIe siècle. Des chevaux furent alors importés d'Afrique du Sud et du Chili vers l'Australie. Ils devaient être dotés d'excellentes constitutions car leurs ancêtres étaient des chevaux ibériques, arabes, barbes, criollo et basuto, mais aussi des poneys indonésiens. Mais leurs qualités faisaient en revanche défaut et ils furent croisés plus tard avec des pur-sang et des arabes.

La race engendrée de ces croisements, le new south wales horse, devint un cheval de cavalerie important. Il fut utilisé en Inde par les Britanniques à partir de 1 850

En tant que cheval de cavalerie, le waler fut notamment utilisé pendant la Première Guerre mondiale.

environ et devint aussi un bon cheval de bétail. Sa vigueur et son endurance étaient parfaitement adaptées aux énormes élevages de l'intérieur du pays.

Dans les années 1940, le waler, nom sous lequel on le connaissait alors, était devenu un cheval de qualité. Après la Seconde Guerre mondiale, la population avait cependant chuté. Croisée avec d'autres chevaux, la race s'en trouva affaiblie. De nos jours, des mesures ont été prises pour améliorer le waler par des apports de sang quarter horse, arabe et pur-sang. Son successeur l'australian stock horse, n'est pas encore d'un type déterminé.

Le cheval possède idéalement une tête raffinée avec un front large, un profil rectiligne et des oreilles mobiles. Le regard doux est curieux et intelligent. L'encolure longue est gracieusement arquée, l'épaule est inclinée. La poitrine est large, les membres sont bien proportionnés au corps, longs et musclés dans leur partie supérieure. Les pieds sont durs et bien formés.

L'australian stock horse est obéissant et travailleur, doux et intelligent. La robe est le plus souvent baie, bien que toutes les couleurs simples soient possibles. La taille varie de 1,52 m à 1,65 m.

BRUMBY

L'Australie ne disposait d'aucune race de chevaux indigènes avant la colonisation progressive du pays, et notamment jusqu'à l'arrivée de chercheurs d'or au XIXᵉ siècle. Les colons ne débarquèrent pas seuls sur le continent, ils amenèrent avec eux des chevaux ainsi que d'autres animaux.

Au cours de la Première Guerre mondiale, de nombreux chevaux s'échappèrent et retournèrent à l'état sauvage : il s'agit des pères du brumby moderne. Le mot brumby dérive du terme aborigène *baroomby* qui signifie sauvage.

En raison de la grande diversité d'animaux qui retournèrent à l'état sauvage, il n'existe pas de type de race spécifique. Il existe donc des brumbies de toutes formes, toutes tailles et de toutes couleurs.

Ces chevaux presque entièrement sauvages sont très difficiles à attraper et quasiment impossible à apprivoiser. Considérés naguère comme un fléau, ils ont souffert d'une politique d'abattage extensive et sont devenus aujourd'hui rares.

L'Australie est le pays qui compte le plus de chevaux sauvages dans le monde. Le brumby n'est pas sans rappeler le mustang américain.

INDEX